Heinz

Deutsche Sprachlehre für Ausländer

Grundstufe in einem Band

—

Glossar Deutsch-Englisch

Max Hueber Verlag

Dieses Werk folgt der seit dem 1. August 1998 gültigen
Rechtschreibreform.

3. 2. 1. | Die letzten Ziffern
2005 04 03 02 01 | bezeichnen Zahl und Jahr des Druckes.
Alle Drucke dieser Auflage können, da unverändert,
nebeneinander benutzt werden.
9. Auflage 2001
© 1967 Max Hueber Verlag, D-85737 Ismaning
Übersetzung: Christofer La Bonté
Gesamtherstellung: Friedrich Pustet, Regensburg
Printed in Germany
ISBN 3–19–351006–8

Die Landkarte	The Map
auch	also, too
das	that
dort	(over) there
hier	here
in	in
ja	yes
die Karte, -n	map
der Kontinent, -e	continent
das Land, ̈er	country
die Landkarte, -n	map
liegen	*here:* is
Mittel-	central, middle
nein	no
nicht	not
Nord-	North, Northern
Ost-	East, Eastern
sondern	but
die Stadt, ̈e	town
Süd-	South, Southern
und	and
von	of
West-	West, Western
wo?	where?

Abschnitt 1	
1.	**1.**
aber	but
der Abschnitt, -e	chapter
die Antwort, -en	answer
antworten	to answer
arbeiten	to work
aus	from
der Bleistift, -e	pencil
das Buch, ̈er	book
danke!	thank you
Deutsch	German
eins	one
falsch	wrong
faul	lazy
fleißig	industrious, hard-working
die Frage ,-n	question
fragen	to ask
̣au ...	Mrs. ...

der Freund, -e	friend
die Freundin, -nen	girl-friend
der Füller, -	pen
gehen*	to go
die Grammatik	grammar
guten Tag!	how do you do
das Heft, -e	copybook, exercise-book
Herr ...	Mr. ...
immer	always
kommen*	to come
langsam	slow, slowly
der Lehrer, -	teacher
die Lehrerin, -nen	teacher *(female)*
lernen	to learn
mein	my
der Name, -n	name
oft	often
die Regel, -n	rule
richtig	right
sagen	to say
schnell	fast
die Schule, -n	school
der Schüler, -	student
die Schülerin, -nen	student *(female)*
sein	to be
die Sprache, -n	language
üben	to practise
viel	much, a lot
wenig	a little
zusammen	together

2. Grammatik	**2. Grammar**
das Adjektiv, -e	adjective
der Artikel, -	article
bestimmt	definite
feminin	feminine
die Frau, -en *(1/1)*	woman
das Kind, -er	child
maskulin	masculine
negativ	negative
neutral	neutral
das Personalpronomen, -	personal pronoun
der Plural	plural
das Präsens	present tense

* denotes the strong verbs and the irregular verbs. Additions to the verbs (separable prefixes) are printed in italics.

̣eichnet die starken und unregelmäßigen Verben.
̣ätze (trennbare Vorsilben) sind kursiv gedruckt.

der Singular	singular
die Übung, -en	exercise
unbestimmt	indefinite
unregelmäßig	irregular
das Verb, -en	verb

Abschnitt 2

1. Der Unterricht	**1. The Lesson**
auf Wiedersehen!	good-bye
aus (der Unterricht ist aus)	over
beginnen*	to begin
das Beispiel, -e	example
bilden	to construct
bitte!	please
dann	then
dauern	to last (for)
die Decke, -n	ceiling
diktieren	to dictate
erklären	to explain
der Fehler, -	mistake
das Fenster, -	window
der Fuß, ⁔e	foot
der Fußboden, ⁔	floor
das Gegenteil, -e	opposite
groß	big, large
gut	good
guten Morgen!	good morning
haben*	to have
hängen*	to hang
das Haus, ⁔er	house
nach Hause gehen*	to go home
heißen (wie heißt ...?)	*here:* to mean (what does ... mean?)
hinten	back (there)
jetzt	now
klein	small
die Kreide	chalk
kurz	short
die Lampe, -n	lamp
lang	long
links	to the left
machen	to make
noch	still
oben	up there
rechts	to the right
der Satz, ⁔e	sentence

schließen	to shut
schreiben	to write
das Schulzimmer, -	classroom
der Schwamm, ⁔e	sponge
sehr	very
der Stuhl, ⁔e	chair
die Stunde, -n	hour
die Tafel, -n	blackboard
der Tisch, -e	table
die Tür, -en	door
unten	down
der Unterricht	class, lesson
verbessern	to correct
verstehen*	to understand
viele	many
vier	four
vorn	at the front
die Wand, ⁔e	wall
was?	what?
wie?	how?
wiederholen	to repeat
das Wort, ⁔er	word
das Wörterbuch, ⁔er	dictionary
zeigen	to show
das Zimmer, -	room
zwei	two

2. Grammatik	**2. Grammar**
der Akkusativ	accusative
der Begriff, -e	term
die Form, -en	form
das Fragepronomen, -	interrogative pronoun
der Imperativ	imperative
lesen*	to read
das Nomen, -	noun
der Nominativ	nominative
nur	only
die Person, -en	person
die Sache, -n	thing
das Substantiv, -e	noun
wen?	whom?
wer?	who?

3. Das Alphabet	**3. The Alphabet**
das Alphabet	alphabet
der Buchstabe, -n	letter
buchstabieren	to spell

der Diphthong, -e	diphthong
die Endung, -en	ending
der Fluss, ̈-sse	river
können*	to be able to, can
der Konsonant, -en	consonant
die Nachsilbe, -n	suffix
regelmäßig	regular, regularly
die Silbe, -n	syllable
der Umlaut, -e	umlaut
der Vokal, -e	vowel
die Vorsilbe, -n	prefix

Abschnitt 3

1. Die Zahlen	1. The Numbers
bezahlen	to pay
billig	cheap, inexpensive
der Brief, -e	letter
das Briefpapier	note-paper, stationery
das Geld	money
der Geldschein, -e	(bank) note
das Geldstück, -e	coin
kaufen	to buy
das Kleingeld	cash, small change
kosten	to cost
die Mark	mark (German currency)
das Papier	paper
der Pfennig, -e	pfennig
die Rechnung, -en	bill, invoice
rechnen	to calculate, to reckon
der Schein, -e	note
das Stück, -e	here: coin
teuer	expensive
weiter(zählen)	to go on (counting)
wie viele?	how many?
die Zahl, -en	number
zahlen	to pay
zählen	to count
zuerst	first

2. Grammatik	2. Grammar
das Demonstrativpronomen, -	demonstrative pronoun
(sich) merken	to remember, to memorize
oder	or
wie viel?	how much?

3. Die Zeit	3. The Time
die Minute, -n	minute
die Sekunde, -n	second
die Stunde, -n (2/1)	hour
der Tag, -e	day
die Uhr, -en	hour, clock (watch)
(es ist 8) Uhr	it is eight o'clock
um (8 Uhr)	at (eight o'clock)
wie viel Uhr ist es?	what's the time?
von ... bis	from ... till
die Zeit	time
(ich habe) Zeit	(I have) time

Abschnitt 4

1. Eine Reise	1. A Journey
*ab*fahren*	to leave, to depart
das Abteil, -e	compartment
*an*kommen*	to arrive
auf	on
der Aufenthalt, -e	wait
Aufenthalt haben	to have a ... wait
*aus*steigen*	to get out
der Bahnhof, ̈-e	(railway) station
bestimmt (1/2)	certain
betont	stressed
der D-Zug, ̈-e	express train
eilen	to hurry
der Eilzug, ̈-e	fast train
*ein*steigen*	to get in
fahren*	here: to go to
die Fahrkarte, -n	ticket
der Fahrplan, ̈-e	timetable
die Fahrt, -en	journey
finden*	to find
frei	here: not taken, vacant
halten*	to stop
heute	today
die Illustrierte, -n	magazine
kein· ... mehr	no ... any more
der Koffer, -	suitcase, trunk
das Kursbuch, ̈-er	railway guide
die Leute (Plural)	people
nach	to
nehmen*	to take
die Nummer, -n	number
die Person, -en (2/2)	person

der Personenzug, ⁔e	passenger train
der Platz, ⁔e	seat
pünktlich	punctual, punctually
die Reise, -n	journey, trip
der Schnellzug, ⁔e	fast train
sein (*Pron.*)	his
die Seite, -n	page
die Straße, -n	street, road
die Tasche, -n	bag
das Taxi, -s	taxi
trennbar	separable
über	prior
unbetont	not stressed
untrennbar	inseparable
vergleichen*	to compare
verlassen*	to leave
wann?	when?
wie lange?	how long?
wohin?	where to?
wohnen	to live
die Zeitung, -en	newspaper
der Zug, ⁔e	train

2. Grammatik / 2. Grammar

die Aufgabe, -n	task
das Ende	end
die Endstellung, -en	end-position
der Infinitiv	infinitive (form)
die Präposition, -en	preposition
stark	strong
und so weiter (usw.)	and so on (etc.)
der Verbzusatz, ⁔e	addition to the verb
die Worstellung, -en	word-order

3. Tag – Monat – Jahr / 3. Day – Month – Year

der Abend, -e	evening
betonen	to stress
der Feiertag, -e	(public) holiday
der Frühling	spring
es gibt ...	there are ...
der Herbst	autumn, fall
das Jahr, -e	year
die Jahreszeit, -en	season
manchmal	sometimes
der Mittag, -e	noon
der Monat, -e	month
der Morgen, -	morning

der Nachmittag, -e	afternoon
die Nacht, e	night
Neujahr	New Year
Ostern	Easter
Pfingsten	Whitsun
das Schaltjahr, -e	leap year
der Sommer	summer
die Tageszeit, -en	time of the day
ungefähr	about, approximately
der Vormittag, -e	morning
Weihnachten	Christmas
der Winter	winter
die Woche, -n	week
zum Beispiel (z. B.)	for example (e. g.)

Abschnitt 5

1. Ein Freund kommt / 1. A Friend comes

ablehnen	to refuse
alle	all
anbieten*	to offer
auch einmal (in Köln)	for a change
aufmachen	to open
das Auto, -s	car
bald	soon
begrüßen	to welcome
bestimmt (1/2)	sure, surely
der Besuch, -e	visit
bitten*	to request, to ask for
brauchen	to need
der Briefträger, -	postman
danken D	to thank (*somebody*)
erreichen	*here:* to catch
erzählen	to tell
die Familie, -n	family
die Firma, Firmen	firm
führen	to lead
der Gast, ⁔e	guest
der Gastgeber, -	host
geben*	to give
gehören D	to belong to
gerade (ich mache gerade ...)	at the moment (at the moment I am doing)
gern	gladly, happily
die Geschäftsreise, -n	business trip
gesund	healthy
die Gesundheit	health

die Hand, ⸚e	hand
die Hand geben	to shake hands
helfen* D	to help
herzlich	heartily, hearty
hoffen	to hope
hoffentlich	*here:* I hope
der Kaffee	coffee
klingeln	to ring
kochen (Kaffee)	*here:* to make (coffee)
die Küche, -n	kitchen
der Kuchen, -	cake
leider	unfortunately
machen (was machst du?)	to do (what are you doing?)
der Mann, ⸚er	man, husband
ich möchte	I would like to
öffnen	to open
schade!	what a pity
schaden D	*here:* are bad for
schließlich	finally
schon	already
sitzen*	to sit
der Sohn, ⸚e	son
studieren	to study
die Tasse, -n	cup
das Telegramm, -e	telegram
die Tochter, ⸚	daughter
unterbrechen*	to interrupt
der Vater, ⸚	father
vergehen*	*here:* to pass
*weiter*fahren*	to continue *(the journey)*
wie geht es Ihrem Sohn?	how is your son?
*wieder*kommen*	to come back
die Zigarette, -n	cigarette
*zu*machen	to shut, to close
*zurück*gehen*	to go back

2. Grammatik — 2. Grammar

bringen*	to bring
der Dativ	dative
das Possessivpronomen,-	possessive pronoun
rauchen	to smoke
die Tasche, -n *(4/1)*	bag
wem?	to whom?

3. Unsere Familie — 3. Our Family

der Bruder, ⸚	brother
die Eltern *(Plural)*	parents
die Geschwister *(Plural)*	brothers and sisters
die Großeltern *(Plural)*	grandparents
die Großmutter, ⸚	grandmother
der Großvater, ⸚	grandfather
die Kusine, -n	cousin *(female)*
leben	to live
lieben	to love
die Mutter, ⸚	mother
der Neffe, -n	nephew
die Nichte, -n	niece
der Onkel, -	uncle
die Schwester, -n	sister
die Tante, -n	aunt
tot	dead
der Vetter, -n	cousin *(male)*

Abschnitt 6

1. Zwei Studenten in München — 1. Two Students in Munich

das Abendessen, –	supper
abends	in the evening
bestellen	to order
besuchen	*here:* to go to (visit)
das Bett, -en	bed
zu Bett gehen*	to go to bed
das Bier	beer
das Brötchen, -	roll
denn	because, as
die Ecke, -n	corner
essen*	to eat
das Essen, -	meal
das Fahrrad, ⸚er	bicycle
früh	early
zu Fuß gehen*	to walk
das Gasthaus, ⸚er	inn
das Gemüse	vegetable(s)
die Gemüsesuppe, -n	vegetable soup
das Geschäft, -e	business
gewöhnlich	normal, normally, usually
das Glas, ⸚er	glass
die Kartoffel, -n	potato

der Kaufmann, Kaufleute	businessman, businessmen
der Kellner, -	waiter
das Kino, -s	cinema (movies)
man (isst gut)	*here:* the food is good
meistens	usually
das Menü, -s	menu
müde	tired
der Nachtisch	dessert
nie	never
norddeutsch	North German
der Ober, -	waiter
der Park, -s	park
der Platz, ̈e *(4/1)*	square
die Post	*here:* post-office
die Prüfung, -en	examination
das Rad, ̈er	bicycle
das Rindfleisch	beef
der Salat, -e	salad
selten	seldom
so	so
spazieren gehen*	to go for a walk
der Spaziergang, ̈e	walk
die Speisekarte, -n	menue
der Student, -en	student
süddeutsch	South German
die Suppe, -n	soup
das Theater, -	theatre
trinken*	to drink
die Universität, -en	university
die Vorlesung, -en	lecture
der Weg, -e	way
der Weg ist nicht weit	it is not a long way
weit	far, long
weit von	far from
die Wohnung, -en	flat, apartment
die Zimmerwirtin, -nen	landlady

2. Grammatik — 2. Grammar

das Adverb, -ien	adverb
die Ausnahme, -n	exception
das Hotel, -s	hotel
lokal	local
temporal	temporal
verbinden*	to join
das Zeitadverb, -ien	adverb of time

3. Die Mahlzeiten — 3. The Meals

der Apfel, ̈	apple
die Apfelsine, -n	orange
benutzen	to use
das Besteck, -e	knife, fork and spoon
die Birne, -n	pear
das Brot, -e	bread
die Butter	butter
das Café, -s	café
d. h. = das heißt	i. e.
der Fisch, -e	fish
das Fleisch	meat
das Frühstück	breakfast
frühstücken	to have breakfast
die Gabel, -n	fork
kalt	cold
der Käse, -	cheese
der Löffel, -	spoon
die Mahlzeit, -en	meal
die Marmelade, -n	jam
das Messer, -	knife
die Milch	milk
das Mittagessen	lunch
das Obst	fruit
die Sauce, -n	sauce
der Schinken, -	ham
die Serviette, -n	napkin
süß	sweet
die Süßspeise, -n	sweet, dessert
der Tee, -s	tea
der Teller, -	plate
warm	warm
der Wein, -e	wine
die Wurst, ̈e	sausage
der Zucker	sugar

Abschnitt 7

1. Gespräche — 1. Conversations

bleiben*	to stay
die Blume, -n	flower
der Bonbon, -s	sweet
die Dame, -n	lady
der Doktor, -en (Dr.)	doctor
*ein*laden*	to invite
die Einladung, -en	invitation
erwarten	to expect
etwas (zum ...)	something (to ...)

frei (ich bin frei) *(4/1)*	free (I am free, not engaged)	einhängen*	to hang up
die Freude, -n	*here:* happiness	einwerfen*	to insert
jdm. Freude machen	to make s.o. happy	der Fernsprecher, -	telephone
freuen	to be glad	die Fernsprechzelle, -n	telephone box
der Geburtstag, -e	birthday	hören	to hear
das Geschäft, -e *(6/1)*	shop	der Hörer, -	*here:* receiver
das Geschenk, -e	present, gift	-mal (z. B. sechsmal)	-times
das Gespräch, -e	conversation.	der Modesalon, -s	fashion house
glauben	to think	nötig	necessary
gratulieren	to congratulate	schön	*here:* very well, okay
grüßen	to greet	sprechen*	to talk to
halb (halb 7 Uhr)	half (past six)	die Stimme, -n	voice
hingehen*	to go to	suchen	to look for, to seek
können* *(2/3)*	can, to be able to	das Telefon, -e	telephone
mitbringen*	to bring along	das Telefonbuch, ⁓er	telephone directory
müssen*	must, to have to	das Telefongespräch, -e	telephone call
der Rat, Ratschläge	advice, pieces of advice	telefonieren	to phone, to call
einen Rat geben	to give advice	die Telefonnummer, -n	telephone number
recht (viel …)	a lot of ….	wählen	*here:* to dial
schenken	to give *(as a present)*	die Wählscheibe, -n	selector dial
die Schokolade	chocolate.	wieder	again
spät	late	der Zahnarzt, ⁓e	dentist
der Tanz, ⁓e	dance	die Zelle, -n	*here:* box, booth
tanzen	to dance		
das Vergnügen	*here:* good time		
viel Vergnügen!	have a good time		
vielleicht	perhaps		
ein Viertel	a quarter		
die Vorstellung, -en	performance		
wollen*	to want to		
wünschen	to wish		
die Zigarre	cigar		

2. Grammatik	**2. Grammar**		
aufstehen*	to get up		
einkaufen	to buy, to purchase		
ergänzen	to supplement		
das Modalverb, -en	auxiliary verb		
die Uhrzeit, -en	time		

Abschnitt 8		
1. Mein Haus	**1. My House**	
ablegen	to take off *(clothes)*	
abnehmen* *(7/3)*	to take off *(hat)*	
die Antenne, -n	aerial, antenna	
die Arbeit, -en	work	
das Arbeitszimmer, -	study *(as a room)*	
aufschließen*	to unlock	
ausziehen*	to take off *(clothes)*	
das Bad, ⁓er	bath	
das Badezimmer, -	bathroom	
der Balkon, -e	balcony	
das Bild, -er	picture	
die Couch, -es	couch	
das Dach, ⁓er	roof	
dies-	this	
eintreten*	to enter	
das Erdgeschoss	ground floor	
der Esstisch, -e	table *(for eating)*	
der Fernsehapparat, -e	television (set)	

3. Telefongespräch	**3. A Conversation on the Telephone**	
abnehmen*	to lift up	
anrufen*	to call, to phone	
drehen	to turn	

der Gang, ⸚e	corridor
ganz	complete, completely
die Garage, -n	garage
die Garderobe, -n	cloakroom
der Garten, ⸚	garden
gehen* auf	*here:* to lead to
der Haken, -	hook
der Handschuh, -e	glove
hängen* *(2/1)*	to hang (up)
der Hausflur, -e	hall *(in a house)*
die Hausnummer, -n	number of a house
die Heizung, -en	heating
der Hut, ⸚e	hat
die Hutablage, -n	hat-rack
der Kamin, -e	chimney
der Keller, -	cellar
die Kellertreppe, -n	cellar stairs
das Kinderzimmer, -	children's room
legen	*here:* to put
der Mantel, ⸚	coat
neu	new
der Schlaf	sleep
schlafen*	to sleep
das Schlafzimmer, -	bedroom
das Schloss, ⸚er	lock
der Schlüssel, -	key
schön *(7/3)*	nice, beautiful
sehen*	to see, to have a look at
der Sessel, -	armchair
setzen	to sit
stecken* (ins Schloss; in der Tasche)	*here:* to insert, to put into
stehen*	to stand
stellen	to put
das Stockwerk, -e	floor, storey
der Teppich, -e	carpet
die Terrasse, -n	terrace
die Toilette, -n	toilet
die Treppe, -n	staircase
der Wagen, -	car
das Wohnzimmer, -	living-room
zuschließen*	to lock

2. Grammatik   2. Grammar

die Aktion, -en	action
beschreiben*	to describe
das Examen, -	exam
die Jahreszahl, -en	(date of the) year
das Objekt, -e	object
die Position, -en	position
der Schrank, ⸚e	cupboard
die Vase, -n	vase
der Vorhang, ⸚e	curtain
der Wochentag, -e	weekday
zufrieden	content

3. Zimmer zu vermieten   3. Room to Let

allein	alone
also	therefore
*auf*räumen	to tidy up
bekommen*	*here:* to have, to receive
bequem	comfortable
einziehen	to move in
extra	*here:* separate, separately
fast	almost, nearly
gefallen*	to like
gleich	*here:* just
heizen	to heat
hoch	*here:* much
holen	to fetch
das Kleid, -er	dress
der Kleiderschrank, ⸚e	wardrobe
die Miete, -n	rent
mieten	to rent
der Nachttisch, -e	bedside-table
der Ofen, ⸚	stove
der Platz, ⸚e *(4/1, 6/1)*	*here:* room
die Putzfrau, -en	charwoman
die Quittung, -en	receipt
das Radio, -s	radio
Radio hören	to listen to the radio
der Radioapparat, -e	radio (set)
das Regal, -e	shelf
ruhig	quiet
sicher	*here:* of course
der Schreibtisch, -e	desk
sofort	immediate, immediately
die Stehlampe, -n	floor lamp
täglich	daily
vermieten	to let *(a room)*

das Waschbecken, -	basin
die Wäsche	laundry
waschen	to wash
die Zentralheizung, -en	central heating

Abschnitt 9

1. a) Der Taschendieb — 1. a) The Pickpocket

der Besitzer, -	owner
da	*here:* then
denken*	to wonder
der Dieb, -e	thief
dunkel	dark
die Eile	hurry, rush
eilig	in a hurry
die Entschuldigung, -en	excuse
erschrecken*	to be frightened
fassen	*here:* to grab
fort	*here:* posted, dispatched
greifen*	to put one's hand into one's ...
hell	light
ja = in Wirklichkeit (0)	in reality
die Jacke, -n	jacket
die Kleinstadt, -̈e	small town
klingen*	to sound
leer	empty
leicht	easy, easily
das Licht, -er	light
Licht machen	to switch on the light
der Mann, -̈er (5/1)	man
mein Gott!	my God!
nachlaufen*	to run after, to pursue
niemand	nobody
plötzlich	suddenly
die Polizei	police
rufen*	to call, to shout
schlecht	bad
der Schritt, -e	foot(step)
schwer	difficult
die Seitenstraße, -n	side street
stehenbleiben*	to stop
der Taschendieb, -e	pickpocket
treffen*	to meet
voll	full
weitergehen*	to go on
weiterlaufen*	to go on running

die Weste, -n	waistcoat
zornig	angry
zurückgeben*	to give back
zusammenstoßen*	to collide, to bump into

1. b) Ende gut, alles gut! — 1. b) All's well that ends well

alles	all
glücklich	happy
grün	green
heimfahren*	to go home
losfahren*	to leave
nass	wet
nehmen: sich eine Frau nehmen	to take: to take a wife
der Wald, -̈er	wood
wissen*	to know

2. Grammatik — 2. Grammar

die Abfahrt	departure
ändern	to change, to alter
betrachten	to look at, to consider
der Genitiv	genitive
das Imperfekt	past tense
kennen*	to know
die Konjugation, -en	conjugation
das Präteritum	past tense
schwach	weak
warten	to wait
wessen?	whose?

3. Morgengymnastik im Rundfunk — 3. Morning Exercises on the Radio

andrehen (das Radio)	to switch on (the radio)
der Arm, -e	arm
der Atem	breath
atmen	to breathe
ausatmen	to breathe out, to exhale
auseinander	apart
auseinander stellen	to place apart
ausstrecken	to stretch (out)
der Bauch, -̈e	stomach
der Bauchmuskel, -n	stomach muscle
das Bein, -e	leg
berühren	to touch
beugen	to bend

die Brust	chest
*ein*atmen	to breathe in, to inhale
der Finger, -	finger
das Gelenk, -e	joint *(e.g. wrist)*
genug	enough
gerade *(5/1)*	straight, upright
das Gesicht, -er	face
gestern	yesterday
die Gymnastik	gymnastics
der Hals, ⁻e	neck
halten* *(4/1)*	to hold
heben*	to lift
herum (links herum dre-	round *(to turn round*
hen)	*to the left)*
der Hörer, - *(7/3)*	listener
die Hörerin, -nen	listener *(female)*
das Knie, - *(PL. sprich:*	knee
Kni/e)	
der Kopf, ⁻e	head
der Körper, -	body
der Kreis, -e	circle
der Lautsprecher, -	loudspeaker
möglichst	*here:* as possible
der Mund, ⁻er	mouth
der Muskel, -n	muscle
die Nase, -n	nose
nebeneinander	next to each other
nun	now
der Oberkörper, -	upper part of the body
das Ohr, -en	ear
der Rücken, -	back
der Rumpf, ⁻e	trunk *(of the body)*
der Rundfunk	radio, broadcasting service
die Schulter, -n	shoulder
die Seite, -n *(4/1)*	side
senken	to let hang, to lower
senkrecht	vertical
strecken	to stretch
tief	deep, deeply
waagerecht	horizontal
weit *(6/1)*	far
auf Wiederhören!	good-bye
die Zehe, -n	toe
*zurück*nehmen*	*here:* to hold back

Abschnitt 10

1. Freundinnen — 1. Girl Friends

*an*fangen*	to start, to begin
begleiten	to accompany
(nach Hause) bringen* *(5/2)*	to walk somebody home
das Büro, -s	office
dürfen*	*here:* may
endlich	at last
der Film, -e	film, movie
das Fräulein, -	Miss
sich freuen *(7/1)*	*here:* pleased to meet you
freundlich	friendly
gar nicht	not at all
geduldig	patient
der Hauptfilm, -e	feature film
*heim*gehen*	to go home
höflich	polite, politely
die Kasse, -n	*here:* box office
kennen lernen	to get to know
lächeln	to smile
lachen	to laugh
laufen* (Film) *(9/1)*	*here:* on *(What film is on at . . .)*
das Mädchen, -	girl
neulich	a short time ago
nochmal(s) (noch einmal)	again
sicher *(8/3)*	sure, surely
stören	to disturb
die Überraschung, -en	surprise
sich unterhalten*	to talk, to converse
unterwegs	on the way
sich verabreden	to make a date, appointment
sich verabschieden	to say goodbye
sich verspäten	to be *(come)* too late
*vor*stellen	to introduce
warum?	why?
*weg*fahren*	to go away
ein wenig	a bit
wirklich	really
die Wochenschau, -en	newsreel

2. Grammatik — 2. Grammar

alles Gute!	all the best!
besonders	specially

die Fortbewegung	movement
gleich (8/3)	same
krank	ill
laut	loud
leiden*	to suffer
lügen*	to lie
das Partizip, -ien	participle
das Perfekt	perfect tense
sich rasieren	to shave
das Reflexivpronomen, -	reflexive pronoun
der Stammvokal, -e	stem vowel
stehlen*	to steal

3. Am Morgen und am Abend / 3. In the Morning and in the Evening

abtrocknen	to dry
anziehen*	to get dressed
der Anzug, ¨-e	suit
ausmachen (das Licht)	to switch off (the light)
brauchen (5/1)	to need, to require
die Bürste, -n	brush
einfach	easy, simple
einschlafen*	to fall asleep
elektrisch	electric, electrical
etwas (7/1)	a bit
sich frisieren	to comb one's hair
die Frisur, -en	hair (style)
gründlich	thorough, thoroughly
das Haar, -e	hair
das Haarwasser, ¨	hair tonic
das Handtuch, ¨-er	towel
der Kamm ¨-e	comb
sich kämmen	to comb
der Kleiderbügel, -	coat hanger
klopfen	to knock
putzen (Zähne)	to brush (teeth)
putzen (Schuhe)	to clean (shoes)
der Rasierapparat, -e	electric razor
der Schlafanzug, ¨-e	pyjamas
der Schuh, -e	shoe
die Seife, -n	soap
springen*	to jump
die Steckdose, -n	socket
der Stecker, -	plug
tagsüber	during the day
die Tube, -n	tube
das Wasser	water

wecken	to wake (up)
der Zahn, ¨-e	tooth
die Zahnbürste, -n	toothbrush
die Zahnpaste	toothpaste

Abschnitt 11
1. Ein Missverständnis / 1. A Misunderstanding

sich ansehen*	here: to have a look at
der Appetit	appetite
der Bauer, -n	farmer, peasant
der Bauernhof, ¨-e	farm
der Berg, -e	mountain
der Blitz, -e	lightning
blitzen	here: there was light-ning
der Donner	thunder
donnern	here: there was thunder (to thunder)
das Dorf, ¨-er	village
die Ernte, -n	harvest
das Feld, -er	field
Frankreich	France
der Franzose, -n	Frenchman
französisch	French
sich freuen auf (7/1, 10/1)	here: to look forward to
früh (6/1)	early
der Gast, ¨-e (5/1)	guest
die Gaststube, -n	main room (in a restaurant)
der Gedanke, -n	idea, thought
gemütlich	comfortable, pleasant
das Gewitter, -	thunderstorm
der Hunger	hunger
die Kuh, ¨-e	cow
auf dem Land (0)	in the country(side)
die Landschaft, -en	scenery
das Leben	life
die Luft	air
der Mensch, -en	human being
das Missverständnis, -se	misunderstanding
die Nebenstraße, -n	by-street, side street
nett	nice
nicken	to nod
Österreich	Austria
packen in A	to put into

das Pferd, -e	horse	etwa	about, approximately
der Pilz, -e	mushroom	das Formular, -e	form
der Regen	rain	genügen	to suffice
der Regenschirm, -e	umbrella	das Konto, Konten	(bank) account
regnen	to rain	die Luftpost	airmail
das Schaf, -e	sheep	die Mitte	middle
das Schild, -er	notice	das Postamt, ¨er	post-office
der See, -n	lake	die Postanweisung, -en	postal order, money or-
der Tank, -s	tank *(as a container)*		der
das Tier, -e	animal	die Postgebühr, -en	postage
der Tiger, -	tiger	das Postscheckkonto,	postal cheque account
unangenehm	unpleasant	-konten	
das Vieh	cattle	der Schalter, -	counter
*vorbei*fahren*	to drive past	schicken	to send
vorsichtig	careful, carefully	die Schrift, -en	writing
das Wetter	weather	sonst	otherwise
die Wiese, -n	meadow	die Überschrift, -en	title
der Wirt, -e	landlord	undeutlich	unclear
die Wolke, -n	cloud	die Unterschrift, -en	signature
zeichnen	to draw	der Zettel, -	slip, piece of paper
die Zeichnung, -en	drawing		
ziehen*	*here:* to come over		
zueinander	to each other		

2. Grammatik / 2. Grammar

2. Grammatik	**2. Grammar**	**1. a) Ein Brief**	**1. a) A Letter**
die Deklination, -en	declension	die Abreise, -n	departure
die Ergänzung, -en	complement	andere	other
der Professor, -en	professor	anstatt	instead
das Subjekt, -e	subject	der Arzt, ¨e	doctor
unbekannt	unknown	außerdem	in addition
unpersönlich	impersonal	brauchen *(5/1, 10/3, 11/3)*	to need
die Wiederholung, -en	repetition	feiern	to celebrate
		die Ferien *(Plural)*	holidays
3. Auf dem Postamt	**3. At the Post-office**	gern *(5/1)*	like *(I would like to*
der Abschnitt, -e *(1/1)*	*here:* counterfoil		*have)*
der Absender, -	sender	der Gruß, ¨e	greeting
die Adresse, -n	address	der Kugelschreiber, -	ball-point pen
*auf*geben*	to hand in	meinen	to think
*aus*füllen	to fill in	*mit*machen	*here:* to take part
der Beamte, -n	clerk (post-office clerk)	natürlich	of course
der Betrag, ¨e	sum (of money)	das Paket, -e	parcel
brauchen *(5/1)*	*here:* to take	die Rückkehr	return
der Briefkasten, ¨	letter box	die Schublade, -n	drawer
die Briefmarke, -n	stamp	die See	sea
deutlich	clear, clearly	das Semester, -	term (at a university =
*ein*zahlen	to pay in		half a year)
der Empfänger, -	recipient	der Spaß	fun
		statt	instead

trotz	in spite of
der Urlaub	vacation, holidays
während	during
wegen	because of, due to
werden*	to become

1. b) Robert und Erich kaufen ein
1. b) Robert and Erich go Shopping

das Ei, -er	egg
der Essig	vinegar
die Flasche, -n	bottle
der Korb, -̈e	*here:* wire shopping-basket
das Öl	oil
ein paar	a few
reichen (es reicht)	it is sufficient
das Salz	salt
der Schluss	end
Schluss für heute	that's enough for today
die Selbstbedienung	self-service
die Tomate, -n	tomato
welch-	which, what

2. Grammatik
2. Grammar

die Banane, -n	banana
die Bewegung, -en	movement
die Hilfe	help
kausal	causal
der Kurs, -e	course

3. Winterschlussverkauf
3. Winter Sale

die Bekleidung	clothes
blau	blue
braun	brown
dunkelblau	dark blue
elegant	elegant, smart
die Farbe, -n	colour
die Faser, -n	fibre
die Figur, -en	figure
das Futter	lining (*of a coat, etc.*)
gefüttert	lined, padded
die Größe, -n	size
hellgrau	light grey
das Hemd, -en	shirt
*herab*setzen	to reduce, to cut
die Hose, -n	trousers
jede	*here:* any

das Kaufhaus, -̈er	store
das Kostüm, -e	(ladies') suit
sich lohnen	to be worthwhile
modern	modern
nie (*6/1*)	never
der Pelz, -e	fur
der Preis, -e	price
preiswert	good value (*for the money*)
die Qualität, -en	quality
rot	red
schwarz	black
die Seide	silk
der Sport	sport
stark (*4/2*)	*here:* considerably
weinrot	wine-red
wie (Preise wie noch nie)	like, as (prices like never before)
der Winterschluss-verkauf, -̈e	winter sale
die Wolle	wool

Abschnitt 13

1. Kleines Städte-Quiz
1. A Small Quiz about Cities

alt	old
der Ausländer, -	foreigner
ausländisch	foreign
die Aussicht, -en	view
das Baudenkmal, -̈er	arch. monument
bauen	to build
der Baum, -̈e	tree
das Becken, -	*here:* dock
bedeutend	important
bekannt	well-known
berühmt	famous
die Brücke, -n	bridge
die Buchmesse, -n	book fair
das Bundesland, -̈er	state, Land (*of the Federal Republic of Germany*)
der Dichter, -	poet, writer
der Dom, -e	cathedral
erkennen*	to recognize
der Fluss, -̈e (*2/3*)	river
früher (*12/1*)	*here:* as in earlier times

führen (5/1)	here: to bear	die Lösung, -en	solution
das Geburtshaus, ⸚er	birthplace	möbliert	furnished
günstig	convenient	parken	to park
der Hafen, ⸚	harbour	der Personenwagen, -	limousine
der Handel	trade	positiv	positive
das Herz, -en	heart	reich	rich
das Institut, -e	institute	die Straßenbahn, -en	tram, streetcar
international	international	das Taschentuch, ⸚er	handkerchief
das Jahrhundert, -e	century	tragen (Kleidung)	to wear (clothes)
der Karneval	carnival	übrig	left over
der Kilometer, -	kilometre	verdächtig	suspicious
die Kirche, -n	church	verneinen	to deny, to answer in
klar	clear		the negative
die Kultur	culture, civilisation	wichtig	important
die Lage	position, location		
das Lied, -er	song		

3. Auskunft auf der Straße / 3. Information in the Street

merkwürdig	peculiar, odd	der Augenblick, -e	moment
das Mittelalter	Middle Ages	die Ampel, -n	traffic light(s)
die Mündung, -en	estuary	die Auskunft, ⸚e	information
das Museum, Museen	museum	drüben	(over) there
der Platz, ⸚e (4/1, 8/3)	place	fremd	here: stranger
das Quiz	quiz	der Fußgänger, -	pedestrian
das Schloss, ⸚er (8/1)	castle, palace	geboren	born
sich spiegeln	to reflect	geradeaus	straight on
stattfinden*	to take place	gestorben	died
der Turm, ⸚e	tower	gleich (8/3, 10/2)	here: straight
das Ufer, -	bank (of a river)	halt!	stop!
das Wahrzeichen, -	landmark	die Haltestelle, -n	(bus, tram, etc.) stop
weltbekannt	world-famous	der Komponist, -en	composer
die Wirtschaft	economy	der Omnibus, -se	bus
wissenschaftlich	scientific	der Schutzmann, -leute	policeman
das Zentrum, Zentren	centre	tragen* (13/2)	here: to bear
		umsteigen*	to change
		der Unfall, ⸚e	accident

2. Grammatik / 2. Grammar

allgemein	general, generally	(Herr) Wachtmeister	salutation: officer,
anhaben	to wear		constable
der Autobus, -se	bus	ziemlich	rather
beide	both		
deklinieren	decline		
doch	here: yes		
der Fall, ⸚e	case		
die Geschichte, -n	story		
kursiv gedruckt	printed in italics		
letzt-	last		
die Linie, -n	(tram)line		
liniert	lined		

Abschnitt 14
1. a) Segelregatta 1972 / 1. a) The 1972 Regatta

die Abstimmung, -en	ballot
beschließen*	to decide
klar (13/1)	clear, clearly
das Komitee, -s	committee
der Meeresarm, -e	arm of the sea

die Nachbarstadt, ⸚e	neighbouring town, next town
die Regatta, Regatten	regatta
segeln	to sail
der Segler, -	yachtsman
siegen über *A*	to win against
die Sitzung, -en	meeting
das Spiel, -e	game, match
die Stimme, -n (7/3)	*here:* vote
der Wettkampf, ⸚e	competition, contest

1. b) Ein schwerer Verkehrsunfall — 1. b) A Severe Traffic Accident

*ab*biegen*	*here:* to turn off
die Agentur, -en	agency
*aus*weichen*	to avoid
beachten	to pay attention to
der Begleiter, -	companion
die Begleiterin, -nen	female companion
besetzt	occupied
sich ereignen	to take place
der Fahrer, -	driver
der Fahrgast, ⸚e	passenger
die Kreuzung, -en	cross-roads
die Presse	press
die Schiene, -n	rail
überqueren	to cross
sich überschlagen*	to turn over
der Verkehr	traffic
verletzt	injured
voll besetzt (9/1)	fully occupied
das Zeichen, -	mark, sign

1. c) Achtung, Autodiebstahl! — 1. c) Car Theft

Achtung!	attention
die Aktentasche, -n	briefcase
*an*nehmen*	to assume
sich *auf*halten*	to stay *(at a certain place)*
beobachten	to watch, to observe
die Beschreibung, -en	description
die Brille, -n	glasses, spectacles
der Diebstahl, ⸚e	theft
die Dienststelle, -n	*here:* police-station
*entgegen*nehmen*	to accept
fehlen	to miss

der Filmschauspieler, -	film star
grau	grey
jung	young
kariert	checked
das Kennzeichen, -	number plate
die Last, -en	load
der Lastwagen, -	lorry, truck
die Nachricht, -en	news (item)
die Nähe (in der Nähe)	near, nearby
die Polizeidienststelle, -n	police-station
der Rand, ⸚er	rim *(of spectacles)*
verschwinden*	*here:* to be stolen
weil	because

2. Grammatik — 2. Grammar

das Attribut, -e	attributive
der Ausdruck, ⸚e	expression
sich erkälten	to catch a cold
das Gebirge, -	(range of) mountains
der Grund, ⸚e	reason
die Handlung, -en	action
das Komma, -s	comma
konjugieren	conjugate
die Konjunktion, -en	conjunction
der Nebensatz, ⸚e	subordinate clause
das Plusquamperfekt	pluperfect, before past
präpositional	prepositional
sonnig	sunny
der Sportler, -	sportsman, athlete
der Teil, -e	part
weshalb?	why?

3. So kurz wie möglich — 3. As Short as Possible

sich ärgern	to be angry
die Beerdigung, -en	funeral
das Benzin	petrol, gasoline
der Bericht, -e	report
der Eimer, -	bucket
der Elefant, -en	elephant
entstehen*	to be caused
folgend-	following
husten	to cough
sich irren	to be mistaken
der Journalist, -en	journalist, reporter
kürzen	to abridge, to shorten
möglich (9/3)	possible

*nach*sehen*	to look, to have a look
es passiert *D A*	it happens
der Schaden, ―	damage
schütten	to pour
das Streichholz, ―er	match
so ... wie (6/1)	as ... as
überzeugt sein	to be convinced
der Wärter, -	attendant

Abschnitt 15

1. Briefe — 1. Letters

*an*geben*	*here:* to state
das Angebot, -e	offer
anstrengend	tiring, strenuous
die Anzeige, -n	*here:* classified advertisement
baldig	soon
beenden	to finish
der Bescheid	answer, decision
erhalten*	to receive
sich erholen	to recover, to have a rest
fließen* (fließendes Wasser)	*here:* running
der Friede	peace
geehrt (*im Brief*)	dear *(Mr., ...)*
die Gegend, -en	countryside
der Grund, ―e (14/2)	reason
hiesig	local
das Inserat, -e	announcement, classified ad
lieb	dear *(Mr., ...)*
machen: das macht nichts	matter: that doesn't matter
malerisch	picturesque
möglich (14/3)	possible
die Mühe, -n	trouble
nächst	next
nah	near
natürlich	of course
die Pension	(full) ―board
der Prospekt, -e	prospectus, brochure
raten*	to advise
die Ruhe	quiet, silence,

das Schreiben, -	letter
der Teil, -e (14/2)	part, portion
verbringen*	to spend
die Verpflegung	food and drink
der Weinberg, -e	vineyard
viel zu weit	much too far
vor allem	especially
zahlreich	numerous
zufällig	coincidentally

2. Grammatik — 2. Grammar

achten auf *A*	to pay attention to
der Anfang, ―e	beginning
arm	poor
die Bedingung, -en	condition
bezeichnen	to denote
direkt	direct, directly
*ein*setzen	to fill in
indirekt	indirect, indirectly
konditional	conditional
vergessen*	to forget
der Vergleich, -e	comparison

3. a) Zeitungsanzeigen — 3. a) Newspaper Advertisements

ab	*here:* from
der Akademiker, -	university graduate
die Anfrage, -n	inquiry
der Anschluss	*here:* contact *(with a family)*
die Benutzung	use, utilization
berufstätig	employed, working
doppelt	double
das Doppelzimmer, -	double room
das Ehepaar, -e	married couple
eigen	*here:* its own
der Eingang, ―e	entrance
einzeln	single
das Einzelzimmer, -	single room
mit Familienanschluss	with good contact with the family
die Größe, -n (12/3)	size
der Hausmeister, -	caretaker
die Kochecke, -n	small part of the room used for cooking, kitchenette
pro	per

qm = der Quadrat-	q. metre (square metre)
meter	
verschieden	different

3. b) Wie schreiben wir einen Brief?   3. b) How do We Write a Letter?

die Achtung (14/1)	esteem, regard
die Anrede, -n	salutation, address
aufhören	to conclude
ausdrücken	to express
befreundet sein mit	to be friends with
die Behörde, -n	authorities
bekannt sein mit (13/1)	to know
betr.: betreffen*	ref.: reference
bez.: sich beziehen auf* A	to concern
bezüglich	concerning, relating to
der Direktor, -en	director
der Empfang	reception
empfangen*	to receive
die Empfehlung, -en	here: regards
ergeben	here: Yours faithfully
die Formel, -n	here: (kind of) saluta-tion
der Geschäftsverkehr	commercial correspon-dence
gnädige Frau	Madam
der Hinweis, -e	indication, reference
die Hochachtung	here: great esteem
Hochachtungsvoll	Yours sincerely
der Titel, -	here: degree, position of a person
verbindlich	here: very best (with my very best wishes)
verehrt	here: dear (Dear Ma-dam)
verheiratet (Part.)	married
verwandt sein mit D	to be related to
vorzüglich	here: very best

Abschnitt 16

1. a) Das Wunder   1. a) The Miracle

absteigen*	here: to stay the night
allmählich	slow, slowly
andere (12/1)	other
die Art	way

sich aufregen	to become excited
die Aufregung, -en	excitement
die Bedingung, -en (15/2)	condition
beerben	to inherit (from)
der Beruf, -e	profession
besorgt sein um A	to be worried about, to care for
bestätigen	to confirm
bezeichnen	to call, to name
der Bürgermeister, -	mayor
eingreifen*	to intervene
der Engel, -	angel
der Erbe, -n	heir
ernst	serious
das Experiment, -e	experiment
fortsetzen	to continue
der Friedhof, ⁻e	cemetry
gelingen*	to succeed
geraten*	to get, to become
geschehen*	to occur, to happen
das Grab, ⁻er	grave
heiraten	to marry
das Honorar, -e	fee, remuneration
interessant	interesting
die Krankheit, -en	illness
lebendig	alive
leichtgläubig	credulous, gullible
die Medizin	medicine
neugierig	curious, inquisitive
schwer (9/1, 14/1)	here: serious, bad
seltsam	peculiar, strange
der Tod	death
üblich	usual
der Umschlag, ⁻e	envelope
unglaublich	unbelievable
verdienen	to earn
wenigstens	at least
das Wunder, -	miracle
das Zeugnis, -se	testimonial
zurückkehren	to return

1. b) Der Doktor Eisenbarth   1. b) Doctor Eisenbarth

sein Haus bestellen (6/1)	to see to one's affairs, to take care of every-thing (for the heirs)

blind	blind
erinnern an	to remind of
kurieren	to cure, to make healthy
lahm	lame
lustig	funny, joyful
die Ordnung	order
der Patient, -en	patient
das Testament, -e	will
die Welt	world

2. Grammatik — 2. Grammar

behalten*	to keep
die Funktion, -en	function
der Junge, -n	boy
das Relativpronomen, -	relative pronoun
spielen	to play
der Verwandte, -n	relative
wegfallen*	to be dropped, to be omitted

3. Auf dem Einwohnermeldeamt — 3. At the Registration Office

abholen	to fetch
das Amt, ⸚er	office
anmelden	to register
das Anmeldeformular, -e	register form
ausstellen	to fill in
die Bank, ⸚e	bench
die Bank, -en	bank
der Däne, -n	the Dane
der Einwohner, -	inhabitant
das Einwohnermeldeamt, ⸚er	Registration Office (for the inhabitants of a town, etc.)
evangelisch	protestant
der Familienname, -n	surname
fertig sein	to be finished
geschieden (Part.)	divorced
die Konfession, -en	confession, religion
ledig	single
der Lehrling, -e	apprentice
der Pass, ⸚e	passport
übermorgen	the day after tomorrow
unterschreiben*	to sign
verwitwet	widowed

vorgestern	the day before yesterday
der Vorname, -n	Christian name
die Wissenschaft, -en	science
zuletzt	here: last

Abschnitt 17

1. a) Ein Sportbericht — 1. a) A Sports Commentary

anschließen*	to connect, to link
sich anstrengen	to make an effort
aufspringen*	to jump up
der Augenblick, -e (13/3)	moment
die Bahn, -en	track
sich befinden*	to be (at a certain place)
bisherig	hitherto, up to now
da (9/1)	there
dicht	close, closely
der Endspurt	final spurt
die Entfernung, -en	distance
erfolgreich	successful
das Ergebnis, -se	result
fliegen*	here: to run very fast
folgen	to follow
genau	exact
gespannt	tense, tensely, eager, eagerly
der Hochsprung	high jump
jedoch	but
der Kampf, ⸚e	here: race
klatschen	to clap, to applaud
der Lauf, ⸚e	race
laufen (10/1)	to run
der Läufer, -	runner
die Leistung, -en	performance
die Mannschaft, -en	team
der (das) Meter, -	metre
miterleben	to experience
der Platz, ⸚e (4/1, 8/3)	position, place orter
der Reporter, -	orter
der Richter, -	here: umpire
die Runde, -n	lap
der Sender, -	radio station
der Sieg, -e	victory
der Sieger, -	winner

siegreich	victorious	die Krawatte, -n	tie
sonst *(11/3)*	otherwise	moralisch	moral
sowohl ... als auch	both ... and	die Pflicht, -en	duty, obligation
spannend	exciting	der Positiv	positive
der Speer, -e	javelin	selbst	myself
die Spitze, -n	*here:* leading position	der Superlativ	superlative
der Sportplatz, ¨e	sports field, pitch	töten	to kill
der Sprung, ¨e	jump	verbieten*	to forbid, to prohibit
das Stadion, Stadien	stadion	verlieren*	to drop
trennen	to separate		
trüb	dull, cloudy		
überholen	to overtake		

3. a) Schule und Ausbildung in der Bundesrepublik Deutschland

3. a) School and Training in the Federal Republic of Germany

überrunden	*in athletics:* to (out) lap	das Abitur	final exam at a grammar school (England: A-Levels)
übertragen*	to broadcast		
die Übertragung, -en	broadcasting, transmission		
*um*schalten	to change, to switch (*radio*)	akademisch	academic
		der Architekt, -en	architect
werfen*	to throw	der Apotheker, -	chemist
das Ziel, -e	finish	*aus*bilden	to train
*zu*jubeln	to cheer	die Ausbildung	training
der Zuschauer, -	spectator	der Bäcker, -	baker
zweifellos	doubtless	bestehen* (Prüfung)	to pass
		der Bildhauer, -	sculpturer

1. b) Ein Telefongespräch

1. b) A Conversation on the Telephone

der Apparat, -e	telephone (*as an instrument*)	der Drucker, -	printer
		der Elektriker, -	electrician
das Bad, ¨er *(8/1)*	*here:* name given to a town with medicinal baths; spa	der Fotograf, -en	photographer
		der Frisör, -e	hairdresser
		der Gehilfe, -n	assistant
bringen* *(5/2)*	to take	der Geselle, -n	journeyman (*in a certain trade*)
erst	*here:* only		
die Kur, -en	treatment (*at a health resort*)	das Gymnasium, -sien	grammar school
		der Handwerker, -	skilled worker
lassen*	to let	die Hauptschule -n	secondary school
*vor*haben*	to intend to do	die Hochschule, -n	university, college
*weg*fahren*	to go away (*on holiday*)	der Ingenieur, -e	engineer
		die Lehrzeit	time spent as an apprentice

		der Maler, -	painter
		der Maurer, -	bricklayer

2. Grammatik

2. Grammar

als	than	mehrmals	several times
erlauben	to allow, to permit	der Meister, -	registered master, foreman
das Gesetz, -e	law	die Realschule, -n	secondary school (o-level)
interessieren	to be interested	der Rechtsanwalt, ¨e	laywer, attorney
die Komparation	comparison	der Richter, - *(17/1)*	judge
der Komparativ	comparative	der Schauspieler, -	actor

der Schneider, -	tailor
die Schulpflicht	obligation to go to school
das Studium, Studien	study
der Tischler, -	joiner
der Uhrmacher, -	watchmaker
die Grundschule, -n	primary school, elementary school

3. b) Aus der Schule   **3. b) At School**

komisch	peculiar, odd
woher kommt es, dass	how is it that ...
die Note, -n	mark
sogar	even

Abschnitt 18
1. a) Im Reisebüro   1. a) At the Travel Agency

der (die) Angestellte, -n	clerk
die Anmeldung, -en	booking, registration
der Ausflug, ⸚e	excursion
begeistert von	thrilled by
bestehen* aus (17/3)	to consist of
beständig	stable, settled
buchen	to book
der Dampfer, -	steamer
einverstanden sein mit D	to agree with
empfehlen*	to recommend
sich entscheiden*	to decide
feststellen	here: to find out
die Insel, -n	island
der Kunde, -n	customer, client
mehrere	several
mitgeben*	to take along
die Nerven (Plural)	nerves
das Reisebüro, -s	travel agency
selbstverständlich	of course, naturally
der Termin, -e	appointment
unbeständig	unstable, inconsistent
die Verlängerung	prolongation, extension
vorbeikommen*	to come round
vorig (Adj.)	last
weiter (Adj.)	further

1. b) Warum eine Gesellschaftsreise?   1. b) Why a Conducted Tour?

angenehm	pleasant
sich ausruhen	to rest
besorgen	to see to
der Führer, -	guide
die Gesellschaft, -en	group
die Gesellschaftsreise, -n	conducted tour
die Gruppe, -n	group
sich kümmern um A	to take care of
organisieren	to organize
der Ort, -e	place
passen (es passt mir)	to suit (it suits me, it's all right with me)
die Reisegesellschaft, -en	tourist party
reisen	to travel
die Sehenswürdigkeit, -en	object of interest, object worth sightseeing
sorgen für	to take care of
tun*	to do
verlängern	to prolong, to extend
sich vorstellen (10/1)	to imagine
zusammen sein	to be together

2. Grammatik   2. Grammar

abgeschlossen	here: complete
die Absicht, -en	intention
ausdrücken (15/3)	to express
bedeuten	to mean
der Befehl, -e	order
die Beruhigung	appeasement
das Ding, -e	thing
die Einleitung, -en	introduction
ersetzen	to replace
die Erwartung, -en	expectation
das Futur	future tense
die Gegenwart	present tense
gebrauchen	to use
jemand	somebody
ob	whether, if
das Schiff, -e	ship
teilnehmen*	to participate
übernachten	to stay the night
die Veränderung, -en	change
die Verbindung	connection
die Vergangenheit	past tense
verhaften	to arrest
die Vermutung, -en	assumption
verwenden	to use
wahrscheinlich	probable, probably

die Warnung, -en	warning
die Zukunft	future

3. Aus einem Reiseprospekt

abnehmen* (7/3) (Arbeit; Gewicht)	to relieve of (work), to loose (weight)
sich anschließen* (17/1)	to join
anziehen* (10/3) (Kleidung; Kunstfreund)	to attract, to put on (clothes; an art lover)
aufschlagen* (Zelt; ein Ei; sich die Knie)	to set up (a tent), to break (an egg), to cut (one's knee)
die Autobahn, -en	motorway, superhighway
der Badeort, -e	seaside resort
das Bauwerk, -e	building
beraten*	to advise
der Bergsteiger, -	mountaineer
bewundern	to admire
das Binnenland	inland
der Binnensee, -n	lake
Bundes- (republik)	Federal (Republic)
der Campingplatz, ⸚e	camping site
dicht (17/1)	dense (network)
ebenfalls	also
ebenso	just like
erfahren*	here: to be informed of
erfüllen	to fulfil
die Erholung	recuperation, rest
das Festspiel, -e	festival (performance)
der Flug, ⸚e	flight
die Geschichte (13/2)	history
der Gipfel, -	peak, summit
das Heilbad, ⸚er	health resort with medicinal baths
herrlich	marvellous, lovely
das Instrument, -e	instrument
die Köchin, -nen	cook (female)
die Kunst, ⸚e	art
das Kunstwerk, -e	piece of art
der Kurort, -e	health resort
der Liebhaber, -	admirer
lieblich	lovely
der Lift, -e	lift, elevator
die Möglichkeit, -en	possibility

mühelos	without effort
die Musik	music
der Musiker, -	musician
das Netz, -e	network
das Paradies, -e	paradise
die Pension, -en (15/1)	boarding house
privat	private
das Reiseziel, -e	destination (of a journey)
romantisch	romantic
die Sammlung, -en	collection
der Sand	sand
das Seil, -e	here: cable
der Sessellift, -e	chair-lift
der Ski, -er	ski
der Skifahrer, -	skier
sorglos	without worries
steil	steep
die Stelle, -n	place
der Strand, ⸚e	beach
die Übernachtung, -en	overnight accommodation
die Verbindung, -en (18/2)	connection
vermitteln	to arrange
der Wassersport	aquatic sports
weltberühmt	world famous
der Wettbewerb, -e	competition
Willkommen	welcome
wundervoll	wonderful
der Wunsch, ⸚e	wish, desire
das Zelt, -e	tent
das Zeugnis, -se (16/1)	here: witness

Abschnitt 19

Aus der Zeitung
1. a) Autodieb verurteilt

der Abdruck, ⸚e	print
das Amtsgericht, -e	district court, county court
der Angeklagte, -n	accused (person)
annehmen* (14/1)	to accept
der Antrag, ⸚e	here: petition, motion
beantragen (Strafe)	to propose, to ask for, to demand

berichten	to report	der Fall (*13/2*)	fall (*over*)
Berufung einlegen	to lodge an appeal	gefährlich	dangerous
der Beweis, -e	proof	auf Grund (*14/2, 19/1*)	due to, on account of
die Beweisaufnahme, -n	taking of the evidence	halten* für (*4/1, 9/3*)	to regard as, to consi-
beweisen	to prove		der to be
eigen (*15/3*)	own	sich *heraus*stellen	to turn out to be
einliefern in	to be put into	das Innenministerium	Home Office, Depart-
ergeben (*15/3*)	to show		ment of the Interior
das Gefängnis, -se	prison	das Interesse, -n	interest
das Gericht, -e	court (of law)	der Kollege, -n	colleague
gestehen*	to admit, to confess	das Koppel, -	(waist) belt
gestrig	yesterday (*adjective*)	der Magen, ⸚	stomach
heutig	today (*adjective*)	das Ministerium, Mini-	ministry
inzwischen	in the meantime	sterien	
leugnen	to deny	die Mitteilung, -en	notice
die Marke, -n	make, brand	packen (*11/1*)	to grab
schwer (*9/1, 14/1*)	serious, severe	die Pistole, -n	pistol
seinerzeit	at that time	der Polizist, -en	policeman
der Staatsanwalt, ⸚e	prosecutor (*U. S. dis-*	der Riemen, -	strap, belt
	trict attorney)	schießen*	to shoot
die Strafe, -n	sentence	schnallen	to buckle, to strap
die Tat, -en	*here:* crime	überall	everywhere
der Täter, -	delinquent	untersuchen	to investigate
das Urteil, -e	judgement, sentence	unzweckmäßig	unsuitable
die Verhandlung, -en	trial	der Verbrecher, -	criminal
vernehmen*	to question, to interro-	völlig	complete, completely
	gate	zweckmäßig	suitable
versuchen	to attempt		
verurteilen	to condemn	**2. Grammatik**	**2. Grammar**
verzichten auf *A*	to do without, to dis-	das Aktiv	active (voice)
	claim, to waive	die Angabe, -n	statement
*vor*liegen*	*here:* there was (*pre-*	begrenzen	to limit
	sent)	der Besuch, -e (*5/1*)	visit
der Zeuge, -n	witness	beteiligt sein* an *D*	to participate in
zunächst	at first	der Fotoapparat, -e	camera
		das Geschehen	occurrence
1. b) Druck auf den	**1. b) A Pressing on**	grammatisch	grammatical
Magen	**one's Stomach**	der Grund, ⸚e (*14/2,*	reason
anders	different	*15/1*)	
*an*fragen	to ask	das Hilfsverb, -en	auxiliary verb
ärgerlich	angry, discontented	nennen*	to name
dienen	to serve	der Ort, -e (*18/1*)	place
der Druck	pressure, pressing	das Passiv	passive (voice)
drücken	to press	das Prädikat, -e	predicate
*ein*führen	to initiate, to introduce	das Satzglied, -er	clause
eng	tight, tightly	verreisen	to go away (on a jour-
ersuchen	to request		ney)

der Vorgang, ⁻e	process, procedure
die Zeit, -en (3/3)	time
*zurück*geben*	to give back
zusätzlich	additional

3. a) Strafprozess

Anklage erheben*	to raise an accusation
*an*zeigen	to report (somebody to the police)
*auf*rufen*	to call upon
die Aussage, -n	evidence, testimony
beeiden	to declare something on oath
begründen	to give the reason for something
die Beratung, -en	here: discussion
bereuen	to repent, to regret
draußen	outside
ermahnen	to admonish, to exhort
erscheinen*	to appear
der Gerichtssaal, -säle	courtroom
*herein*rufen*	to call in
*hinzu*fügen	to add
laden* (10/2)	here: to summon, to cite
mild	mild, lenient
öffentlich	public
die Personalien (Plural)	particulars, personal data
die Persönlichkeit	personality
das Plädoyer, -s	pleading
das Protokoll, -e	record, proceedings
der Prozess, -e	court (of law)
der Saal, Säle	here: courtroom
die Sitzung, -en (14/1)	meeting
schildern	to describe
die Schuld	guilt
Strafantrag stellen	to demand a sentence
der Strafprozess, -e	criminal case, trial
überführen	to find guilty, to convict
übergeben*	to turn over to
überzeugen (14/3)	to convince
die Unschuld	innocence
die Untersuchung, -en	investigation
verkünden (Urteil)	to read (sentence)

3. a) Criminal Case

die Vernehmung, -en	questioning, interrogation
verschweigen*	to withhold, to keep secret
der Vorsitzende, -n	here: presiding judge
der Verteidiger, -	defence counsel
die Wahrheit	truth
*zu*hören	to listen
sich *zurück*ziehen*	to retire
*zu*stimmen	to agree

3. b) Zivilprozess

*ab*schließen*	to conclude
die Abzahlung, -en	here: hire purchase
die Anzahlung, -en	deposit, down payment
auf einmal (bezahlen)	in cash
der Beklagte, -n	accused (person), defendant
*ein*halten* (Termin)	to keep (an appointment)
die Entschädigung, -en	here: repayment
fällig	here: due
das Gerät, -e	here: TV set
gesamt	total, entire
der Geschäftsmann, -leute	businessman
die Herausgabe	here: return
*heraus*geben*	here: to give back, to return
der Käufer, -	buyer
der Kläger, -	plaintiff
die Kosten (Plural)	expense, cost
zu Lasten von	to the debit of
die Rate, -n	instalment
die Restschuld	the remaining debt
vereinbaren	to agree
der Vergleich, -e (15/2)	settlement, composition
der Verkauf, ⁻e	sale
verklagen	to file a suit
verlangen	to demand
versprechen*	to promise
der Vertrag, ⁻e	contract
weiterhin	in future
die Zahlung, -en	payment
der Zivilprozess, -e	civil action, civil suit

3. b) A Civil Suit

Abschnitt 20

1. Geheim — 1. Secret

aufregend	exciting
*aus*fragen	to question
äußern	to state
die Bedeutung, -en	importance, significance
der Berichterstatter, -	reporter
besprechen*	to discuss
blitzen (*11/1*)	to flash (*in photography*)
dick	fat
eifrig	eager, eagerly
das Ereignis, -se	event, incident
erstaunt	surprised, amazed
erwidern	reply
fotografieren	to photograph
gegenwärtig	present
geheim	secret
*hoch*reißen*	to grab
jedesmal	every time
das Kabinett, -e	cabinet
die Meinung, -en	opinion
der Minister, -	minister
die Mode, -n	fashion
nervös	nervous
die Opposition	opposition (*in politics*)
die Partei, -en	(*political*) party
der Plan, ̈-e	plan
die Politik	politics
politisch	political
der Präsident, -en	president
die Regierung, -en	government
scheinen* (*15/1*)	to appear to be
schweigen*	to be silent
umringen	to crowd around (somebody)
vergangen (*Part.*)	last (*e.g. last year*)
versichern	to assure
vollständig	complete
der Vorraum, ̈-e	lobby
die Wahl, -en	elections
die Zukunft (*18/2*)	future
zukünftig	future (*adjective*)
*zusammen*kommen*	to meet
*zusammen*treten*	to convene

2. Grammatik — 2. Grammar

*ein*fahren*	to come in (*train at a station*)
*ein*leiten	to introduce, to begin
einmalig	unique
das Fest, -e	celebration
gleichzeitig	simultaneous, simultaneously
die Hoffnung, -en	hope
Leid tun*	to be sorry
mehrmalig	repeatedly, often
sterben*	to die
traurig	sad
*um*werfen*	to tip over
die Verneinung, -en	negation
der Vogel, ̈	bird

3. Die Bundesrepublik Deutschland — 3. The Federal Republic of Germany

der Abgeordnete, -n	representative (*Member of the Bundestag*)
*ab*lehnen (*5/1*)	to refuse
die Änderung, -en	amendment
außen	outside
besitzen*	to own
bestimmen	*here:* to name
der Bund, ̈-e	Federation
der Bundesrat	Federal Council
die Bundesregierung	Federal Government
der Bundestag	German Parliament
der Delegierte, -n	delegate
der Einfluss, ̈-e	influence
erfolgen	to take place
die Fläche, -n	area
gerichtet sein gegen *A*	to be against
das Gesetz, -e (*17/2*)	law
die Gesetzgebung	legislation
das Glied, -er	*here:* component
das Grundgesetz	constitutional law
der Kanzler, -	Chancellor
in Kraft treten*	to come into power
der Landtag, -e	State Parliament
das Parlament, -e	parliament
qkm = der Quadratkilometer, - (*15/3*)	square kilometre

die Spitze, -n (17/1)	top
an der Spitze	at the top
der Staat, -en	state
tragen* (Verantwortung) (13/2, 13/3)	to have (responsibility)
der Unterschied, -e	difference
die Verantwortung	responsibility
die Verfassung, -en	constitution
vertreten*	represent
die Vertretung, -en	representation
die Verwaltung, -en	administration
das Volk, ⁻er	the people
die Volksvertretung, -en	parliament
vorlegen	to submit
wahlberechtigt	eligible to vote
zentralistisch	centralistic
die Zustimmung	agreement

Abschnitt 21

1. a) Der zerstreute General   1. a) The Confused General

die Anlage, -n	plant (in a factory, etc.)
aufnehmen*	here: to photograph, to take a photograph
aufsetzen (Flugzeug)	to land (aeroplane)
bereit	ready
besichtigen	to inspect, to tour
deshalb	therefore
direkt (15/2)	direct, straight
die Düsenmaschine, -n	jet plane
einstündig	one-hour (adjective)
die Einzelheit, -en	detail
erschrecken* (9/1)	to frighten, to scare
der Flughafen, ⁻	airport
der Flugplatz, ⁻e	airport
das Flugzeug, -e	aeroplane
frühzeitig	early
die Gefahr, -en	danger
gehen*: es geht gut	to go well
der General, -e	general
der Kommandeur, -e	commander
der Kurs (12/2)	course
die Küste, -n	coast
landen	to land

die Landung, -en	landing
die Maschine, -n	here: aeroplane
niedergehen*	to land
der Oberst, -en	colonel
der Offizier, -e	officer
der Rand, ⁻er (14/1)	here: outskirts, perimeter
rechtzeitig	in time
die Richtung, -en	direction
das Rollfeld, -er	runway
der Rundflug, ⁻e	circular flight
der Rundgang, ⁻e	inspection tour
der Seeflughafen, ⁻	naval airbase (for seaplanes)
sprachlos	speechless
startbereit	ready for take-off
starten	to start
staunen	to be amazed
steigen*	to climb
das Steuer, -	here: controls (in an aeroplane)
der Tadel, -	blame, reprimand
tadellos	without blame = perfect
treffen* (Vorbereitungen) (9/1)	to make (preparations)
der Typ, -en	type
das Unglück, Unglücksfälle	accident, disaster
Verzeihung!*	excuse me
verhüten	to prevent
vorbereiten	to prepare
die Vorbereitung, -en	preparation
warnen	to warn
das Wasserflugzeug, -e	seaplane
zerstreut	confused

1. b) Fertig zur Abfahrt   1. b) Ready to leave

abschließen* (19/3)	to lock
abstellen	to switch off
einladen* (7/1)	to load
einpacken	to pack
die Hauptsache, -n	main thing
der Kofferraum	boot, trunk
nachschauen	to have a look
die Papiere (Plural)	papers, documents

schief: etwas geht schief	wrong: something goes wrong
das Stück, -e *(3/1)*	*here:* short distance
das Waschzeug	toilet articles

2. Grammatik — 2. Grammar

der Beobachter, -	observer
beschädigen	to damage
entsprechend	corresponding
die Erweiterung, -en	enlargement
die Feier, -n	celebration, party
der Flugzeugführer, - *(18/1)*	pilot
die Handtasche, -n	handbag
*heraus*schauen	to look out
sich *hin*setzen	to sit down
hintereinander	after *(behind)* each other
kaputt	broken
die Liste, -n	list
die Lust	pleasure, enjoyment
der Radfahrer, -	cyclist
schieben*	to push
der Sprecher, -	speaker
die Umgangssprache	colloquial language
viermotorig	with four engines
verschließen*	to lock
zusammengesetzt	compound
der Zustand, ⁼e	condition

3. Wörterbücher — 3. The Dictionaries

alphabetisch	alphabetical
der Aufsatz, ⁼e	essay
der Begriff, -e *(2/2)*	term
beherrschen (Sprache)	to master (*a language*)
einsprachig	in one language, mono-lingual
entweder ... oder	either ... or
fein	fine
die Fremdsprache, -n	foreign language
der Gegenstand, ⁼e	article, object
gleichartig	similar
häufig	frequent, frequently
die Kenntnis, -(ss)e	knowledge
die Muttersprache	mother tongue
*nach*prüfen	to check
*nach*schlagen*	to look up
die Ordnung, -en *(16/1)*	order

schwierig	difficult
die Schwierigkeit, -en	difficulty
der Sinn	meaning
das Stichwort, ⁼er	catchword
das Synonym, -e	synonym
der Text, -e	text
überrascht	surprised
übersetzen	to translate
die Übersetzung, -en	translation
die Unterhaltung, -en	conversation
der Verfasser, -	author
das Verzeichnis, -se	list
vielmehr	rather, on the contrary
der Wortschatz	vocabulary
zuverlässig	reliable
zweisprachig	bilingual, in two languages

Abschnitt 22

1. a) Macht es den Dieben nicht so leicht — 1. a) Don't Make it so Easy for Thieves

*ab*stellen *(21/1)*	*here:* to deposit
die Abwesenheit	absence
*auf*fallen* D	to be noticed
aufmerksam	to be attentive
*auf*passen auf *A*	to take care of, to keep an eye on
*aus*nützen	to exploit, to use
besorgen *(18/1)*	to see to something, to buy something
die Brieftasche, -n	wallet
die Ehrlichkeit	honesty
*ein*schließen*	to lock up in
das Fach, ⁼er	*here:* compartment
die Gelegenheit, -en	occasion
das Gepäck, Gepäck-stücke	luggage, baggage
die Gepäckaufbewah-rung	left luggage office
der Inhaber, -	owner
kommen* auf *A*	to hit upon (*something*)
die Kontrolle, -n	check-up
leichtsinnig	careless, carelessly
manch-	some (adjective)
der Panzerschrank, ⁼e	safe
das Schließfach, ⁼er	safe deposit box

der Schmuck, Schmuck- stücke	jewellery
die Situation, -en	situation
der Sitz, -e	seat
überlegen	to think, to meditate
sich verhalten*	to behave
die Versicherung, -en	insurance company
das Vertrauen	confidence
der Wert, -e	value
zahllos	innumerable
der Zündschlüssel, -	ignition key

b)

die Angst, "-e	fear
ängstlich	anxious, anxiously, fearful, fearfully
dumm	silly, stupid
Gott, "-er	God
göttlich	godlike, divine
kleinlich	pedantic, small-minded
leise	quiet, quietly
regieren	to rule, to govern
schlaflos	sleepless
selbstsüchtig	egoistic
die Weise	way (in which something is done)

2. Grammatik — 2. Grammar

ableiten	to derive
beziehungsweise (bzw.)	and/or
die Bildung, -en	formation
die Ehre, -n	honour
ehrlich	honest
einschieben*	to insert
erkennbar	recognizable
der Fall, "-e (13/2, 19/1)	case
das Fernsehen	television
der Fleiß	diligence
der Gebrauch	use
die Gunst	favour, good will
sich handeln um A	to concern
informieren	to inform
irreal	unreal
die Irrealität	unreality
klug	clever
der Konjunktiv	conjunctive
die Mappe, -n	briefcase

die Not	need, want
der Ring, -e	ring
rund	round
der Schmerz, -en	pain
der Schmutz	dirt
die Schriftsprache	written language
die Sorge, -n	worry
überfahren*	to run over
umschreiben*	to paraphrase
unterscheiden*	to differentiate
verständlich	understandable
die Weltreise, -n	journey round the world
die Wirklichkeit	reality

3. a) Auf der Bank — 3. a) At the Bank

abheben* (Geld)	to draw out (money)
allerdings	however
die Angelegenheit, -en	matter
ankommen* auf (4/1)	to depend on
auflösen	to cancel, to liquify
der Auftrag, "-e	order, assignment
die Auszahlung, -en	payment, disbursement
der Auszug, "-e	statement of account
bar	in cash
bargeldlos	paid by cheque
die Belastung, -en	debit
buchen (18/1)	to book
eintragen*	to enter
die Einzahlung, -en	payment (into an account)
erledigen	to see to
eröffnen (Konto)	to open (a bank account)
der Fall: das ist der Fall (13/2, 19/1)	case: that is the case
gesamt (19/3)	complete, total
das Girokonto, -konten	transfer account, cheque account
das Guthaben, -	credit, money in one's bank account
die Gutschrift, -en	credit item (of an account)
jederzeit	any time
der Kontostand, "-e	amount of money in one's account

kündigen (Geld)	to give notice	1. b) Fristlos entlassen!	1. b) Dismissed Without Notice!
die Kündigung, -en	notice		
der Scheck, -s	cheque	*auf*blicken	to look up
das Scheckbuch, "er	cheque book	sich bedanken für A	to thank (*somebody*) for (*something*)
Soll und Haben	debit and credit		
das Sparbuch, "er	savings book	beschäftigen A	to employ, to occupy
sparen	to save	der Betrieb, -e	firm
das Sparkonto, -konten	savings account	böse	angry, angrily
überweisen*	to transfer, to remit	der Bote, -n	messenger
die Überweisung, -en	remittance	der Buchhalter, -	bookkeeper
verfügen über A	to have at one's disposal	der Chef, -s	boss
		eigentlich	actual, actually
verstecken	to hide	empört	shocked, furious
der Vorteil, -e	advantage	entlassen*	to dismiss
die Zinsen (Plural)	interest (*on money*)	fristlos	without notice
der Zweck, -e	purpose	das Gehalt, "er	salary
		der Hochbetrieb	intense activity, bustle (*in a firm*)

3. b) Quiz-Frage

*aus*brechen*	to break out
die Dressur, -en	training (*of animals*)
gelangen	to reach
der Käfig, -e	cage
der Löwe, -n	lion
soeben	just now
der Spielleiter, -	referee
die Veranstaltung, -en	event, meeting
der Zirkus, -se	circus
zögern	to hesitate

3. b) Quiz Question (right column header)

leiden (et. nicht leiden können) (*10/2*)	stand (*to not be able to stand something*)
die Menge, -n	*here:* a lot
*nach*denken*	to meditate
obwohl	although
der Raum, "e	room
seelenruhig	placidly, as cool as you please
solch	such
trotzdem	in spite of, nevertheless
vorzeitig	premature
wütend	angry, angrily

Abschnitt 23
1. a) Die kluge Ehefrau
1. a) The Clever Wife

*ab*machen	to take off
sich beeilen	to hurry
bevor	before
damit	(so, in order) that
doch (*13/2*)	all the same, nevertheless
die Ehefrau, -en	wife
klopfen (*10/3*)	to knock
längst	already (*a long time ago*)
nachdem	afterwards
rasch	quick, quickly
während	while, during
sich wundern	to be surprised

2. Grammatik

2. Grammar

*ab*senden*	to send off
abstrakt	abstract
die Anweisung, -en	instruction
*aus*üben	to practise
das Diminutiv	diminutive
dringend	urgent
die Entscheidung, -en	decision
fern	far, distant
fest	firm, certain
der Finalsatz, -e	final sentence
das Fußballspiel, -e	football match
das Gebiet, -e	area
das Getränk, -e	drink, beverage
die Heilung, -en	healing, recovery

der Kocher, -	cooker	das Fernglas, ⸚er	binoculars
kollektiv	collective	in Gang bringen*	to get something under way
der Konzessivsatz, ⸚e	concessive sentence		
der Metzger, -	butcher	gewinnen* aus	to derive from
nachher	afterwards	die Glaswaren (*Plural*)	glassware
das Orchester, -	orchestra	die Grube, -n	pit, mine
richten (aburteilen)	to sentence, to condemn	der Grundstoff, -e	elementary material
der Schuhmacher, -	shoemaker	hauptsächlich	mainly
der Temporalsatz, ⸚e	temporal sentence	der Haushalt, -e	household
treiben* (Sport)	to go in for (*sport*)	sich heben* (9/3)	to rise, to improve
um . . . zu	in order . . . to	die Heimarbeit	work done at home
verdienen	to earn	herstellen	to manufacture, to produce
der Verdienst	earnings		
verkaufen	to sell	die Industrie, -n	industry
vorher	before	das Instrument, -e (18/3)	instrument
die Wanderung, -en	hike, walking–tour	die Kohle, -n	coal
zeitlich	temporal	die Kohlengrube, -n	coal mine, coal pit
der Zuhörer, -	listener	das Kraftwerk, -e	power station
		der Kreislauf	cycle, circulation

3. Die Wirtschaft in der Bundesrepublik   3. The Economy in Germany

		der Krieg, -e	war
abhängen von*	to depend on	die Kunstfaser, -n	synthetic (*material*)
der Absatz	sales, marketing	der Kunststoff, -e	synthetic fibre
der Absatzmarkt, ⸚e	(sales) market	das Laboratorium, -torien	laboratory
angewiesen sein auf *A*	to depend on		
die Anilinfarbe, -n	aniline dye	die Landwirtschaft	agriculture
die Anlage, -n (21/1)	plant, factory	landwirtschaftlich	agricultural
aufbauen	to build up, to establish	der Lebensstandard	standard of living
		das Leder	leather
ausführen	to carry out	die Lederwaren (*Pl.*)	leather goods
das Ausland	foreign countries	der Markt, ⸚e	market
sich bemühen	to endeavour	das Medikament, -e	medicine
der Bergmann, -leute	miner	das Mikroskop, -e	microscope
das Bergwerk, -e	mine	optisch	optical
bestehen bleiben*	to continue to exist	das Porzellan	porcelain, china
die Beziehung, -en	relation(ship)	produzieren	to produce
chemisch	chemical	die Rechenmaschine, -n	calculating machine, computer
dauernd	continual, continually		
die Druckerpresse, -n	printing press	retten	to save
einführen (19/1)	to import	riesig	huge, enormous
das Eisen	iron	der Rohstoff, -e	raw material
die Erde	earth	die Spielwaren (*Pl.*)	toys
das Erz, -e	ore	der Stahl	steel
erzeugen	to produce, to manufacture	die Textilmaschine, -n	textile machine
		der Untergang	(*down*)fall, ruin (*of a country*)
das Erzeugnis, -se	product		
die Fabrik, -en	factory	sich unterscheiden* (22/2)	to differ

verarbeiten	to process
die Volkswirtschaft	economy
*vor*kommen*	*here:* to be found
die Werkstatt, ⁼en	workshop
das Werkzeug, -e	tool
wieder aufbauen	to build up again, to re-establish
der Wohlstand	prosperity, wealth
zerstören	to destroy
der Zweig, -e	branch

Abschnitt 24

1. a) Der betrogene Betrüger	1. a) The Swindled Swindler
*ab*nehmen* (7/3, 8/1)	*here:* to buy
*ab*wiegen*	to weigh
angeblich	allegedly
die Anklageschrift, -en	(*bill of*) indictment
der Ausspruch, ⁼e	statement
die Bäuerin, -nen	peasant (*female*)
behaupten	to claim, to maintain
der Betrug	swindle
betrügen*	to swindle
der Betrüger, -	swindler
der Eindruck, ⁼e	impression
der Enkel, -	grandson
faltig	wrinkled
*frei*sprechen*	to acquit
das Gewicht, -e	weight
das Gramm	gram
*herbei*holen	to fetch
*hervor*gehen*	*here:* could be seen what was stated
jedenfalls	anyway
der Konflikt, -e	conflict
der Laib, -e (Brot)	loaf (of bread)
das Loch, ⁼er	hole
lokal (6/2)	local
messen*	measure
der Müller, -	miller
das Pfund	pound
die Provinz, -en	province (*in a country*)
Sache: bei der Sache bleiben* (2/2)	matter: stick to the matter
das Schwarzbrot	brown bread, rye-bread

sorgfältig	careful, carefully
die Spalte, -n (Zeitung)	column
stimmen	to be correct
der Streit, -fälle	dispute, argument, quarrel
das Thema, Themen	subject, topic
unschuldig	innocent
verlegen (*Verb*)	to lose, to mislay
die Verlegenheit	embarrassment
*vor*halten*	to inform of
die Vorschrift, -en	regulation
vorschriftsmäßig	corresponding to the regulation(s)
die Waage, -n	scales, weighing machine
die Waagschale, -n	scale
wechseln	to change
wiegen*	to weigh

1. b) Sprichwörter	1. b) Proverbs
blasen*	to blow
brennen*	to burn
*hinein*fallen*	to fall into
fühlen	to feel
gar sein	(*well*) done (*in cooking*)
glänzen	to shine
graben*	to dig
die Grube, -n (23/3)	pit
heiß	hot
mahlen	to grind, to mill
recht	right
der Reim, -e	rhyme
das Sprichwort, ⁼er	proverb
übrig bleiben*	to be left over
verschieben*	to put off
wahr	true

2. Grammatik	2. Grammar
aktiv	active
*fest*stehen*	fixed
innerhalb	inside of
die Meldung, -en	information, notice
minderjährig	under age, minor
mündlich	oral, orally
die Oper, -n	opera
die Pause, -n	break, pause
die Rede, -n	speech

sich richten nach *D*	to behave (act) according to
stumm	mute, dumb
die Tatsache, -n	fact
unbedingt	positively, absolutely
weder ... noch	neither ... nor
weiß	white
*weiter*geben*	to pass on
wörtlich	literal, literally

3. Studium in Deutschland — 3. Study in Germany

die Ablichtung, -en	(photostat) copy
das Attest, -e	(medical) certificate
*auf*nehmen* (*21/1*)	to accept
*auf*zählen	to list
beglaubigen	to certify
*bei*legen	to enclose
belegen (Vorlesung)	to enrol, to register
ber*e*chtigen zu *D*	to entitle
der Bergbau	mining
sich bewerben	to apply
das Diplom, -e	diploma
entscheiden* (*18/1*)	to decide
der Erfolg, -e	success
erforderlich	necessary
erleichtern	to facilitate, to simplify
das Fach, ¨-er (*22/1*)	subject
die Forstwirtschaft	forestry
das Führungs-zeugnis, -se	certificate of (good) conduct
was gibt's?	what's up?
gelten*	*here:* to count
*hin*fahren*	to go to
immatrikulieren	to immatriculate
der Lebenslauf	curriculum vitae, personal record
das Lichtbild, -er	photograph (*for a passport, etc.*)
mindestens	at least
das Original, -e	original
das Problem, -e	problem
recht sein (*7/1, 24/3*)	*here:* to be all right with
das Studienkolleg, -s	special German college intended to prepare the students for future university study

überhaupt nicht	not at all
*voraus*setzen	to require, to presume
die Voraussetzung, -en	precondition
die Zulassung, -en	admission, permission
*zusammen*stellen	to compile
zwar	although

Abschnitt 25

1. a) Im Examen — 1. a) In the Exam

*ab*halten*	to hold
*an*schauen	to look at
aufgeregt	excited
der Ausschuss, ¨-e	committee
*durch*fallen*	to fail (*an examination*)
*ein*fallen* (es fällt mir ein)	to think of (I think of)
der Esslöffel, -	table-spoon
fürchten	to be afraid of
gefürchtet	feared
das Heilmittel, -	medicine, drug
der Kandidat, -en	candidate
die Kommission, -en	commission
prüfen	to examine
Fragen stellen	to put (ask) questions
das Symptom, -e	symptom
der Tropfen, -	drop

1. b) Das gefährliche Experiment — 1. b) The Dangerous Experiment

*auf*lösen (*22/3*)	to dissolve
ausgezeichnet	excellent
beinahe	almost, nearly
der Blick, -e	look
dozieren	to lecture
durchsichtig	transparent
die Flüssigkeit, -en	liquid
*fort*fahren*	to continue
füllen	to fill
das Gefäß, -e	container
der Hörsaal, ¨-e	lecture-hall, auditorium
milchig	milky
das Reagenzglas, ¨-er	test tube
die Säure, -n	acid

überlegen (*22/1*)	to meditate, to think	lutschen	to suck (*a sweet, etc.*)
undurchsichtig	non-transparent, opaque	die Masse	mass
		das Medikament, -e	medicine
sich wenden* an	to turn to	messen (Fieber) (*24/1*)	to take (one's temperature)
der Wissenschaftler, -	scientist		
		das Organ, -e	organ
2. Grammatik	**2. Grammar**	ein paar	a few
*an*lehnen	to lean on	der Puls	pulse
begegnen	to meet	pressen	to press
der Bewohner, -	person living in ...	das Rezept, -e	prescription
die Einrichtung, -en	furniture	die Rötung	reddening
das Hindernis, -se	obstacle, barrier	saugen	to suck
notwendig	necessary	die Schlagader, -n	artery
regeln (Verkehr)	to direct, to control	schlagen* (Puls)	to beat
		schlucken	to swallow
3. Ein Krankenbesuch	**3. Visiting a Sick Person**	schriftlich	in writing, written
		der Schweiß	perspiration, sweat
*ab*horchen	to sound, to auscultate	schwitzen	to perspire, to sweat
*ab*sondern	*here:* to sweat, to perspire	die Sprechstunde, -n	consulting hours
		spülen	to swill, to rinse
die Ader, -n	vein	die Steigerung	increase, rise
*an*stecken	to infect	die Tablette, -n	tablet
die Arznei, -en	medicine, drug	die Temperatur, -en	temperature
die Atmung	respiration	das Thermometer, -	thermometre
belegt (*Part.*)	*here:* coated (*a coated tongue*)	überstehen*	to get over (an illness)
		die Verordnung, -en	(*doctor's*) directions
die Besserung	recovery	verschreiben*	to prescribe
fehlen (was fehlt Ihnen) (*14/1*)	wrong (what's wrong with you)	*zu*decken	to cover (up)
		die Zunge, -n	tongue
fest (*23/2*)	thorough, thoroughly	*zurück*gehen* (das Fieber, die Rötung)	to go back, to get better, to decrease
das Fieber	temperature (*in an illness*)		
sich *frei*machen (beim Arzt)	to undress, to uncover		
		Abschnitt 26	
fühlbar	can be felt	**1. Das Haus der Erinnerung**	**1. The House of His Memory**
die Grippe	influenza	*ab*kaufen	to buy (*from*)
gurgeln	to gargle	sich *ab*spielen	to happen, to take place
der Hausarzt, ¨-e	family doctor		
*herein*schauen	to come round, to drop in (*at a friend's house*)	anwesend	present
		*auf*suchen	to visit
*hinunter*schlucken	to swallow (down)	das Beweismittel, -	proof, evidence
die Infektion, -en	infection	die Bude, -n	stall, stand
der Keim, -e	germ	ehemalig	former
krankhaft	pathological, diseased	entnehmen*	*here:* adapted from
die Lungen, -n	lung	die Erinnerung, -en	memory (*of something*)
die Lungenentzündung, -en	pneumonia	flehen	to plead

das Gefühl, -e	feeling
der Gewinn, -e	price
die Glücksbude, -n	kind of tombola at a fair
das Glücksrad, ⁻er	wheel of fortune
der Griff, -e	feeling, knack
im Griff haben*	to have the feel (of something)
der Hauswirt, -e	landlord
das Handwerk	trade
*heim*rennen*	to run home
heiter	joyful
irgendein	some, any
der Jahrmarkt, ⁻e	fair
die Jugend	youth
die Jugendzeit	days of youth
der Kamerad, -en	friend, mate, comrade
die Klasse, -n	class
der Ladenpreis, -e	selling-price
leihen*	to lend
das Los, -e	lottery-ticket
*nach*geben*	to give in
die Niete, -n	failure, flop
die Prosa	prose
rasselnd	rattling
rennen*	to run
scheppern	to rattle, to chatter
schlimm	bad
schnurren	to whir(r), to buzz
den Kopf schütteln	to shake one's head
selig	overjoyed, happy
*still*stehen*	to stand still
der Schuster, -	cobbler
tatsächlich	in fact
übertragen *(17/1)*	figurative, figuratively
verlosen	to draw, to cast
weinen	to cry
*weiter*bringen*	to get further
die Ziffer, -n	number

2. Grammatik

2. Grammar

die Anekdote, -n	anecdote
*auf*klappen	to open, to raise
das Auge, -n	eye
der Beginn	beginning
der Beiname, -n	appellation, designation

die Bestimmung, -en	*here:* regulation
blühen	to flower, to blossom
breit	wide
das Datum, Daten	date
entschlossen *(Part.)*	determined
ermüdet *(Part.)*	tired
erscheinen* *(19/3)*	appear
die Gebräuche *(Plural)*	customs
gelb	yellow
der Haifisch, -e	shark
hübsch	pretty
die Hitze	heat
der Lärm	noise
das Maß, -e	measure
die Redewendung, -en	idiomatic phrase
reizend	tempting
der Sack, ⁻e	sack
schneiden*	to cut
schwimmen*	to swim
singen*	to sing
die Sitten *(Plural)*	manners, moral rules
streichen*	*here:* to spread
in Strömen regnen	to rain cats and dogs
technisch	technical
die Tischsitten *(Plural)*	table manners
übrig bleiben (nichts übrig bleiben als)* *(24/1)*	to have no choice but to . . .
der Umgang (mit Menschen)	*here:* approach, relations
unvollständig	incomplete
verschlingen	to devour
verteidigen	to defend
der Vortrag, ⁻e	lecture, speech
die Weile	period of time
der Zentimeter	centimetre
der Zentner	hundredweight
zitieren	to quote

3. Liebe Freunde der deutschen Sprache

3. Dear Friends of the German Language

*auf*schließen*	to open
Mühe *auf*wenden*	to take the trouble
*daran*gehen*	to start
empfinden*	to feel
erwerben*	to acquire
festigen	to secure

die Grundlage, -n	basis	schwer: es fällt mir	difficult: it is difficult
der Grundzug, ⸚e	basic fact	schwer (9/1, 14/1)	for me
hängen* an D (2/1, 8/1)	to be attached to, to be	die Struktur, -en	structure
	devoted	unmittelbar	immediate, imme-
in der Lage sein (13/1)	to be able to		diately
der Lehrgang, ⸚e	course	vergrößern	to enlarge
die Literatur, -en	literature	vollendet (Adv.)	perfectly
der Mut	courage	die Zeile, -n	line
der Philosoph, -en	philosopher	sich zurechtfinden*	to be able to cope with,
sich richten an A (23/2,	to turn to		to find one's way
24/2)			about

ALPHABETISCHES WÖRTERVERZEICHNIS

A

ab 15/3
ab-*)
Abdruck 19/1
Abend 4/3
Abendessen 6/1
abends 6/1
aber 1/1
Abfahrt 9/1
Abgeordneter 20/3
abgeschlossen 18/2
Abitur 17/3
Ablichtung 24/3
Abreise 12/1
Absatz 23/3
Abschnitt 1/1, 11/3
Absender 11/3
Absicht 18/2
Abstimmung 14/1
abstrakt 23/2
Abteil 4/1
Abwesenheit 22/1
Abzahlung 19/3
achten 15/2
Achtung 14/1, 15/3
Ader 25/3
Adjektiv 1/2
Adresse 11/3
Adverb 6/2
Agentur 14/1
Akademiker 15/1
akademisch 17/3
Aktentasche 14/1
Aktion 8/3
aktiv 24/2
Aktiv 19/2
alle 5/1
allein 8/3
allerdings 22/3
alles 9/1

* = s. Hauptverb
* = see the verb without prefix

alles Gute! 10/2
allgemein 13/2
allmählich 16/1
Alphabet 2/2
alphabetisch 21/3
als 17/2
also 8/3
alt 13/1
Ampel 13/3
Amt 16/3
Amtsgericht 19/1
an-*)
andere 12/1, 16/1
anders 19/1
ändern 9/2
Änderung 20/3
Anekdote 26/2
Anfang 15/2
Anfrage 15/3
Angabe 19/2
angeblich 24/1
Angebot 15/1
Angeklagter 19/1
Angelegenheit 22/3
angenehm 18/1
Angestellter 18/1
angewiesen sein 23/3
Angst 22/1
ängstlich 22/1
Anilinfarbe 23/3
Anklage 19/3
Anlage 21/1, 23/3
Anmeldeformular 16/3
Anmeldung 18/1
Anrede 15/3
Anschluss 15/3
anstatt 12/1
anstrengend 15/1
Antenne 8/1
Antrag 19/1
Antwort 1/1
antworten 1/1
Anweisung 23/2
anwesend 26/1

Anzahlung 19/3
Anzeige 15/1
Anzug 10/3
Apfel 6/3
Apfelsine 6/3
Apotheker 17/3
Apparat 17/1
Appetit 11/1
Arbeit 8/1
arbeiten 1/1
Arbeitszimmer 8/1
Architekt 17/3
ärgerlich 19/1
sich ärgern 14/3
arm 15/2
Arm 9/3
Art 16/1
Artikel 1/2
Arznei 25/3
Arzt 12/1
Atem 9/3
atmen 9/3; aus- 9/3; ein- 9/3
Atmung 25/3
Attest 24/3
Attribut 14/2
auch 0
auf 4/1
auf-*)
auf Grund 19/1
Aufenthalt 4/1
Aufgabe 4/2
aufgeregt 25/1
aufmerksam 22/1
aufregend 20/1
Aufregung 16/1
Aufsatz 21/3
Auftrag 22/3
auf Wiedersehen! 2/1
Auge 26/2
Augenblick 13/3, 17/1
aus 1/1, 2/1
aus-*)
Ausbildung 17/3

Ausdruck 14/2
auseinander 9/3
Ausflug 18/1
ausgezeichnet 25/1
Auskunft 13/3
Ausland 23/3
Ausländer 13/1
ausländisch 13/1
Ausnahme 6/2
Aussage 19/3
Ausschuss 25/1
außen 20/3
außerdem 12/1
äußern 20/1
Aussicht 13/1
Ausspruch 24/1
Auszahlung 22/3
Auszug 22/3
Auto 5/1
Autobahn 18/3
Autobus 13/2

B

Bäcker 17/3
Bad 8/1, 17/1
baden 8/1
Badeort 18/3
Badezimmer 8/1
Bahn 17/1
Bahnhof 4/1
bald 5/1
baldig 15/1
Balkon 8/1
Banane 12/2
Bank 16/3
bar 22/3
bargeldlos 22/3
Bauch 9/3
Bauchmuskel 9/3
Baudenkmal 13/1
bauen 13/1; auf- 23/3
wieder auf- 23/3

Bauer 11/1
Bäuerin 24/1
Bauernhof 11/1
Baum 13/1
Bauwerk 18/3
beachten 14/1
Beamter 11/3
beantragen 19/1
Becken 13/1
sich bedanken 23/1
bedeuten 18/2
bedeutend 13/1
Bedeutung 20/1
Bedingung 15/2, 16/1
beeiden 19/3
sich beeilen 23/1
beenden 15/1
beerben 16/1
Beerdigung 14/3
Befehl 18/2
sich befinden 17/1
befreundet 15/3
begegnen 25/2
begeistert 18/1
Beginn 26/2
beginnen 2/1
beglaubigen 24/3
begleiten 10/1
Begleiter 14/1
begrenzen 19/2
Begriff 2/2, 21/3
begründen 19/3
begrüßen 5/1
behalten 16/2
behaupten 24/1
beherrschen 21/3
Behörde 15/3
beide 13/2
Bein 9/3
beinahe 25/1
Beiname 26/2
Beispiel 2/1
bekannt 13/1, 15/3
Beklagter 19/3
Bekleidung 12/3
bekommen 8/3
Belastung 22/3

belegen 24/3
belegt 25/3
sich bemühen 23/3
benutzen 6/3
Benutzung 15/3
Benzin 14/3
beobachten 14/1
Beobachter 21/2
bequem 8/3
beraten 18/3
Beratung 19/3
berechtigen 24/3
bereit 21/1
bereiten; vor- 21/1
bereuen 19/3
Berg 11/1
Bergbau 24/3
Bergmann 23/3
Bergsteiger 18/3
Bergwerk 23/3
Bericht 14/3
berichten 19/1
Berichterstatter 20/1
Beruf 16/1
berufstätig 15/3
Berufung 19/1
Beruhigung 18/2
berühmt 13/1
berühren 9/3
beschädigen 21/2
beschäftigen 23/1
Bescheid 15/1
beschließen 14/1
beschreiben 8/3
Beschreibung 14/1
besetzt 14/1
besichtigen 21/1
Besitzer 9/1
besonders 10/2
besorgen 18/1, 22/1
besorgt sein um 16/1
besprechen 20/1
Besserung 25/3
beständig 18/1
bestätigen 16/1

Besteck 6/3
bestehen 17/3, 18/1
bestehen bleiben 23/3
bestellen 6/1, 16/1
bestimmen 20/3
bestimmt 1/2, 4/1, 5/1
Bestimmung 26/2
Besuch 5/1, 19/2
besuchen 6/1
beteiligt sein 19/2
betonen 4/3
betont 4/1
betrachten 9/2
Betrag 11/3
betreffen 15/3
Betrieb 23/1
Betrug 24/1
betrügen 24/1
Betrüger 24/1
Bett 6/1
beugen 9/3
bevor 23/1
Bewegung 12/2
Beweis 19/1
Beweisaufnahme 19/1
beweisen 19/1
Beweismittel 26/1
sich bewerben 24/3
Bewohner 25/2
bewundern 18/3
bezahlen 3/1
bezeichnen 16/1
sich beziehen 15/3
Beziehung 23/3
bezüglich 15/3
biegen; ab- 14/1
Bier 6/1
bieten; an- 5/1
Bild 8/1
bilden 2/1; aus- 17/3
Bildhauer 17/3
Bildung 22/2
billig 3/1
Binnen- 18/3
Birne 6/3
bisher 17/1
bisherig 17/1

bitte! 2/1
bitten 5/1
blasen 24/1
blau 12/3
bleiben 7/1; übrig 24/1
26/2
Bleistift 1/1
Blick 25/1
blicken, auf- 23/1
blind 16/1
Blitz 11/1
blitzen 11/1, 20/1
blühen 26/2
Blume 7/1
Bonbon 7/1
böse 23/1
Bote 23/1
brauchen 5/1, 10/3, 11/3,
12/1
braun 12/3
brechen; aus- 22/3
breit 26/2
brennen 24/1
Brief 3/1
Briefkasten 11/3
Briefmarke 11/3
Briefpapier 3/1
Brieftasche 22/1
Briefträger 5/1
Brille 14/1
bringen 5/2, 17/1; mit-
7/1, nach Haus – 10/1,
weiter- 26/1
Brot 6/3
Brötchen 6/1
Brücke 13/1
Bruder 5/3
Brust 9/3
Buch 1/1
buchen 18/1, 22/3
Buchhalter 23/1
Buchmesse 13/1
Buchstabe 2/3
buchstabieren 2/3
Bude 26/1
Bund 20/3

Bundesbahn 18/3; -land
13/1, -post 18/3; -rat
20/3; -regierung 20/3;
-republik 13/1; -tag
20/3
Bürgermeister 16/1
Büro 10/1
Bürste 10/3
Butter 6/3
bzw. = beziehungsweise
22/2

C

Café 6/3
Campingplatz 18/3
Chef 23/1
chemisch 23/3
Couch 8/1

D

da 9/1, 17/1
Dach 8/1
Dame 7/1
damit 23/1
Dampfer 18/1
Däne 17/3
danke! 1/1
danken 5/1
dann 2/1
das 0
Dativ 5/2
Datum 26/2
dauern 2/1
dauernd 23/3
Decke 2/1
decken; zu- 25/3
Deklination 11/2
deklinieren 13/2
Delegierter 20/3
Demonstrativpronomen
3/2
denken 9/1; nach- 23/1
denn 6/1

deshalb 21/1
deutlich 11/3
deutsch 1/1
dicht 17/1, 18/3
Dichter 13/1
dick 20/1
Dieb 9/1
Diebstahl 14/1
dienen 19/1
Dienststelle 14/1
dies- 8/1
diktieren 2/1
Diminutiv 23/2
Ding 18/2
Diphthong 2/3
Diplom 24/3
direkt 15/2, 21/1
Direktor 15/3
doch 13/2, 23/1
Doktor 7/1
Dom 13/1
Donner 11/1
donnern 11/1
doppelt 15/3
Doppelzimmer 15/3
Dorf 11/1
dort 0
dozieren 25/1
draußen 19/3
drehen 7/3; an- 9/3;
herum- 9/3
Dressur 22/3
dringend 23/2
drüben 13/3
Druck 19/1
drücken 19/1; aus- 15/3,
18/2
Drucker 17/3
Druckerpresse 23/3
dumm 22/1
dunkel 9/1; -blau 12/3
durchsichtig 25/1
dürfen 10/1
Düsenmaschine 21/1
D-Zug 4/1

E

ebenfalls 18/3
ebenso 18/3
Ecke 6/1
Ehefrau 23/1
ehemalig 26/1
Ehepaar 15/3
Ehre 22/2
ehrlich 22/2
Ehrlichkeit 22/1
Ei 12/1
eifrig 20/1
eigen 15/3, 19/1
eigentlich 23/1
Eile 9/1
eilen 4/1
eilig 9/1
Eilzug 4/1
Eimer 14/3
ein-*)
Eindruck 24/1
einfach 10/3
Einfluss 20/3
Eingang 15/3
Einladung 7/1
Einleitung 18/2
einmal 5/1
einmalig 20/2
Einrichtung 25/2
eins 1/1
einsprachig 21/3
einstündig 21/1
einverstanden 18/1
Einwohner 16/3
Einzahlung 22/3
Einzelheit 21/1
einzeln 15/3
Einzelzimmer 15/3
Eisen 23/3
Elefant 14/3
elegant 12/3
Elektriker 17/3
elektrisch 10/3
Eltern 5/3
Empfang 15/3
empfangen 15/3

Empfänger 11/3
empfehlen 18/1
Empfehlung 15/3
empfinden 26/3
empört 23/1
Ende 4/2
endlich 10/1
Endspurt 17/1
Endstellung 4/2
Endung 2/3
eng 19/1
Engel 16/1
Enkel 24/1
Entfernung 17/1
entgegen-*)
entlassen 23/1
entnehmen 26/1
Entschädigung 19/3
sich entscheiden 18/1,
24/3
Entscheidung 23/2
entschlossen 26/2
Entschuldigung 9/1
entsprechend 21/2
entstehen 14/3
entweder ... oder 21/3
Entzündung 25/3
Erbe 16/1
Erde 23/3
Erdgeschoss 8/1
sich ereignen 14/1
Ereignis 20/1
erfahren 18/3
Erfolg 24/3
erfolgen 20/3
erfolgreich 17/1
erforderlich 24/3
erfüllen 18/3
ergänzen 7/2
Ergänzung 11/2
ergeben 15/3, 19/1
Ergebnis 17/1
erhalten 15/1
sich erholen 15/1
Erholung 18/3
erinnern 16/1
Erinnerung 26/1

sich erkälten 14/2
erkennbar 22/2
erkennen 13/1
erklären 2/1
erlauben 17/2
erleben 24/3; mit- 17/1
erledigen 22/3
erleichtern 24/3
ermahnen 19/3
ermüdet 26/2
ernst 16/1
Ernte 11/1
eröffnen 22/3
erreichen 5/1
erscheinen 19/3, 26/2
erschrecken 9/1, 21/1
ersetzen 18/2
erst 17/1
erstaunt 20/1
ersuchen 19/1
erwarten 7/1
Erwartung 18/2
Erweiterung 21/2
erwerben 26/3
erwidern 20/1
Erz 23/3
erzählen 5/1
Erzählung 23/2
erzeugen 23/3
Erzeugnis 23/3
essen 6/1
Essen 6/1
Essig 12/1
Esslöffel 25/1
Esstisch 8/1
etwa 11/3
etwas 7/1, 10/3
evangelisch 16/3
Examen 8/3
Experiment 16/1
extra 8/3

F

Fabrik 23/3
Fach 22/1, 24/3

fahren 4/1; ab- 4/1; ein-
20/2; fort- 25/1; heim-
9/1; hin- 24/3; los- 9/1;
vorbei 11/1; weg- 10/1;
weiter- 5/1
Fahre 14/1
Fahrgast 14/1
Fahrkarte 4/1
Fahrplan 4/1
Fahrrad 6/1
Fahrt 4/1
Fall 13/2, 19/1, 22/3
fallen; auf- 22/1; durch-
25/1; ein- 25/1; hinein-
24/1; weg- 16/2, 17/1
fällig 19/3
falsch 1/1
faltig 24/1
Familie 5/1
fangen; an- 10/1
Farbe 12/3
Faser 12/3
fassen 9/1
fast 8/3
faul 1/1
fehlen 14/1, 25/3
Fehler 2/1
Feier 21/2
feiern 12/1
Feiertag 4/3
fein 21/3
Feld 11/1
feminin 1/2
Fenster 2/1
Ferien 12/1
fern 23/2
Fernglas 23/3
Fernsehapparat 8/1
Fernsehen 22/2
Fernsprechbuch 7/3
Fernsprecher 7/3
Fernsprechzelle 7/3
fertig 16/3
fest 23/2, 25/3
Fest 20/2
festigen 26/3
Festspiel 18/3

Fieber 25/3
Figur 12/3
Film 10/1
Filmschauspieler 14/1
Finalsatz 23/3
finden 4/1; statt- 13/1;
wieder- 19/1; zurecht-
26/3
Finger 9/3
Firma 5/1
Fisch 6/3
Fläche 20/3
Flasche 12/1
flehen 26/1
Fleisch 6/3
Fleiß 22/2
fleißig 1/1
fliegen 17/1
fließen 15/1
fließend 15/1
Flug 18/3
Flughafen 21/1
Flugplatz 21/1
Flugzeug 21/1
Flugzeugführer 21/2
Fluss 2/3, 13/1
Flüssigkeit 25/1
folgen 17/1
folgend- 14/3
Form 2/2
Formel 15/3
Formular 11/3
Forstwirtschaft 24/3
fort 9/1
Fortbewegung 10/2
Fotoapparat 19/2
Fotograf 17/3
fotografieren 20/1
Frage 1/1
fragen 1/1; an- 19/1;
aus- 2/1
Fragepronomen 2/2
Frankreich 11/1
Franzose 11/1
französisch 11/1
Frau 1/1, 1/2
Fräulein 10/1

frei 4/1, 7/1
fremd 13/3
Fremdsprache 21/3
Freude 7/1
Freude machen 7/1
sich freuen 7/1, 10/1, 11/1
Freund 1/1
Freundin 1/1
freundlich 10/1
Friede 15/1
Friedhof 16/1
sich frisieren 10/3
Frisör 17/3
fristlos 23/1
Frisur 10/3
früh 6/1, 11/1
früher 12/1, 13/1
Frühling 4/3
Frühstück 6/3
frühstücken 6/3
frühzeitig 21/1
fügen; hinzu- 19/3
fühlbar 25/3
fühlen 24/1
führen 5/1, 13/1; aus-
23/3; ein- 19/1, 23/3
Führer 18/1
Führungszeugnis 24/3
füllen 25/1; aus- 11/3
Füller 1/1
Funktion 16/2
fürchten 25/1
Fuß 2/1
Fußballspiel 23/2
Fußboden 2/1
Fußgänger 13/1
Futter 12/3
Futur 18/2

G

Gabel 6/3
Gang 8/1
ganz 8/1
gar nicht 10/1
gar sein 24/1

Garage 8/1
Garderobe 8/1
Garten 8/1
Gast 5/1, 11/1
Gastgeber 5/1
Gasthaus 6/1
Gaststube 11/1
geben 5/1; an- 15/1; auf-
11/3; heraus-19/3; mit-
18/1; nach- 26/1; wei-
ter- 24/2; zurück- 9/1
Gebiet 23/2
Gebirge 14/2
geboren 13/3
Gebrauch 22/2
Gebräuche 26/2
gebrauchen 18/2
Geburtshaus 13/1
Geburtstag 7/1
Gedanke 11/1
geduldig 10/1
geehrt 15/1
Gefahr 21/1
gefährlich 19/1
gefallen 8/3
Gefängnis 19/1
Gefäß 25/1
Gefühl 26/1
gefürchtet 25/1
gefüttert 12/3
Gegend 15/1
Gegenstand 21/3
Gegenteil 2/1
Gegenwart 8/2
gegenwärtig 20/1
Gehalt 23/1
geheim 20/1
gehen 1/1, 21/1; auf 8/1;
daran- 26/3; hervor-
24/1; heim- 10/1; hin-
7/1; nach Haus – 2/1;
nieder- 21/1; weiter-
9/1; zu Bett – 6/1; zu
Fuß 6/1; zurück- 5/1,
25/3
Gehilfe 17/3

gehören 5/1
gelangen 22/3
gelb 26/2
Geld 3/1
Geldschein 3/1
Geldstück 3/1
Gelegenheit 22/1
Gelenk 9/3
gelingen 16/1
gelten 24/3
Gemüse 6/1
gemütlich 11/1
genau 17/1
General 21/1
Genitiv 9/2
genug 9/3
genügen 11/3
Gepäck 22/1
Gepäckaufbewahrung
22/1
gerade 5/1, 9/3
geradeaus 13/3
Gerät 19/3
geraten 16/1
Gericht 19/1
Gerichtssaal 19/3
gern 5/1, 12/1
gesamt 19/3, 22/3
Geschäft 6/1, 7/1
Geschäftsmann 19/3
Geschäftsreise 5/1
Geschäftsverkehr 15/3
geschehen 16/1
Geschehen 19/2
Geschenk 7/1
Geschichte 13/2, 18/3
geschieden 16/3
Geschwister 5/3
Geselle 17/3
Gesellschaft 18/1
Gesellschaftsreise 18/1
Gesetz 17/2, 20/3
Gesetzgebung 20/3
Gesicht 9/3
gespannt 17/1
Gespräch 7/1
gestehen 19/1

gestern 9/3
gestrig 19/1
gesund 5/1
Gesundheit 5/1
Getränk 23/2
Gewicht 24/1
Gewinn 26/1
gewinnen 23/3
Gewitter11/1
gewöhnlich 6/1
Gipfel 18/3
Girokonto 22/3
glänzen 24/1
Glas 6/1
glauben 7/1
gleich 8/3, 10/2, 13/3
gleichartig 21/3
gleichzeitig 20/2
Glied 20/3
glücklich 9/1
Glücksbude 26/1
Glücksrad 26/1
gnädige Frau 15/3
Gold 22/2
Gott 22/1
göttlich 22/1
Grab 16/1
graben 24/1
Gramm 24/1
Grammatik 1/1
grammatisch 19/2
gratulieren 7/1
grau 14/1
greifen 9/1; ein- 16/1
Griff 26/1
groß 2/1
Größe 12/3, 15/3
Großeltern 5/3
Großmutter 5/3
Großvater 5/3
Grube 23/3, 24/1
grün 9/1
Grund 14/2, 15/1, 19/2
Grundgesetz 20/3; -lage
26/3; -stoff 23/3; -zug
26/3

gründlich 10/3
Grundschule 17/3
Gruppe 18/1
Gruß 12/1
grüßen 7/1
Gunst 22/2
günstig 13/1
gurgeln 25/3
gut 2/1
guten Tag 1/1
Guthaben 22/3
Gutschrift 22/3
Gymnasium 17/3
Gymnastik 9/3

H

Haar 10/3
Haarwasser 10/3
haben 2/1; an- 13/2;
vor- 17/1
Hafen 13/1
Haifisch 26/2
Haken 8/1
halb 7/1
Hals 9/3
halten 4/1, 9/3, 19/1; ab-
25/1; sich auf- 14/1;
ein- 19/3; vor- 24/1
Haltestelle 13/3
Hand 5/1
Handel 13/1
sich handeln 22/2
Handlung 14/2
Handschuh 8/1
Handtasche 21/2
Handtuch 10/3
Handwerk 26/1
Handwerker 17/3
hängen 2/1, 8/1, 26/3;
ab- 23/3; ein- 7/3;
häufig 21/3
Haupt- 10/1
Hauptfilm 10/1
Hauptsache 21/1
Hauptschule 17/3
hauptsächlich 23/3

Haus 2/1; -arzt 25/3;
-flur 8/1; -frau 6/1;
-halt 23/3; -meister
15/3; -nummer 8/1,
-tür 6/1; -wirt 26/1
heben 9/3; s. - 23/3;
ab- 22/3
Heft 1/1
Heilbad 18/3
Heilmittel 25/1
Heilung 23/2
heim-*)
Heimarbeit 23/3
heiraten 16/1
heiß 24/1
heißen 2/1
d. h. = das heißt 6/3
heiter 26/1
heizen 8/3
Heizung 8/1
helfen 5/1
hell 9/1; -grau 12/3
Hemd 12/3
her-*)
herab-*)
heraus-*)
Herausgabe 19/3
herbei-*)
Herbst 4/3
herein-*)
Herr 1/1
herrlich 18/3
herum 9/3
herunter-*)
Herz 13/1
herzlich 5/1
heute 4/1
heutig 19/1
hier 0
hiesig 15/1
Hilfe 12/2
Hilfsverb 19/2
hin-*)
Hindernis 25/2
hinten 2/1
hintereinander 21/2
hinunter-*)

Hinweis 15/3
hinzu-*)
Hitze 26/2
hoch 8/3
Hochachtung 15/3
hochachtungsvoll 15/3
Hochbetrieb 23/1
Hochschule 17/3
Hochsprung 17/1
hoffen 5/1
hoffentlich 5/1
Hoffnung 20/2
höflich 10/1
holen 8/3; ab- 16/3;
herbei- 24/1
Honorar 16/1
horchen 25/3
hören 7/3; auf- 15/3;
zu- 19/3
Hörer 7/3, 9/3
Hörerin 9/3
Hörsaal 25/1
Hose 12/3
Hotel 6/2
hübsch 26/2
Hunger 11/1
husten 14/3
Hut 8/1
Hutablage 8/1

I

Illustrierte 4/1
immatrikulieren 24/3
immer 1/1
Imperativ 2/2
Imperfekt 9/2
in 0
indirekt 15/2
Industrie 23/3
Infektion 25/3
Infinitiv 4/2
informieren 22/2
Ingenieur 17/3
Inhaber 22/1
innerhalb 24/2

Insel 18/1
Inserat 15/1
Institut 13/1
Instrument 18/3 23/3
interessant 16/1
Interesse 19/1
interessieren 17/2
international 13/1
inzwischen 19/1
irgend- 26/1
irgendwo 22/1
irreal 22/2
Irrealität 22/2
sich irren 14/3

J

ja 0, 9/1
Jacke 9/1
Jahr 4/3
Jahreszahl 8/3
Jahreszeit 4/3
Jahrhundert 13/1
Jahrmarkt 26/1
jede 12/3
jedenfalls 24/1
jederzeit 22/3
jedesmal 20/1
jedoch 17/1
jemand 18/2
jetzt 2/1
Journalist 14/3
jubeln; zu- 17/1
Jugend 26/1
Jugendzeit 26/1
jung 14/1
Junge 16/2

K

Kabinett 20/1
Käfig 22/3
Kaffee 5/1
kalt 6/3
Kamerad 26/1

Kamin 8/1
Kamm 10/3
sich kämmen 10/3
Kampf 17/1
Kandidat 25/1
Kanzler 20/3
kaputt 21/2
Karneval 13/1
kariert 14/1
Karte 0
Kartoffel 6/1
Käse 6/3
Kasse 10/1
kaufen 3/1; ab- 26/1;
ein- 7/2
Käufer 19/3
Kaufhaus 12/3
Kaufmann 6/1
kausal 12/1
kehren; zurück- 16/1
Keim 25/3
kein ... mehr 1/1, 4/1
Keller 8/1; -treppe 8/1
Kellner 6/1
kennen 9/2
kennen lernen 10/1
Kenntnisse 21/3
Kennzeichen 14/1
Kilometer 13/1
Kind 1/2
Kinderzimmer 8/1
Kino 6/1
Kirche 13/1
Kläger 19/3
klappen; auf- 26/2
klar 13/1, 14/1
Klasse 26/1
klatschen 17/1
Kleid 8/3
Kleiderbügel 10/3
Kleiderschrank 8/3
klein 2/1
Kleingeld 3/1
kleinlich 22/1
Kleinstadt 9/1
klingeln 5/1
klingen 9/1

klopfen 10/3, 23/1
klug 22/2
Knie 9/3
Kochecke 15/3
kochen 5/1
Kocher 23/2
Köchin 18/3
Koffer 4/1
Kofferraum 21/1
Kohle 23/3
Kohlengrube 23/3
Kollege 19/1
kollektiv 23/2
komisch 17/3
Komitee 14/1
Komma 14/2
Kommandeur 21/1
kommen 1/1; an- 4/1, 22/3 vor- 23/3 vorbei- 17/1; wieder- 5/1; zusammen- 20/1
Kommission 25/1
Komparation 17/2
Komparativ 17/2
Komponist 13/3
konditional 15/2
Konfession 16/3
Konflikt 24/1
Konjugation 9/2
konjugieren 14/2
Konjunktion 14/2
Konjunktiv 22/2
können 2/3, 7/1
Konsonant 2/3
Kontinent 0
Konto 11/3
Kontostand 22/3
Kontrolle 22/1
Konzert 17/1
Konzessivsatz 23/2
Kopf 9/3
Koppel 19/1
Korb 12/1
Körper 9/3
kosten 3/1
Kosten 19/3
Kostüm 12/3

in Kraft treten 20/3
Kraftwerk 23/3
krank 10/2
krankhaft 25/3
Krankheit 16/1
Krawatte 17/2
Kreide 2/1
Kreis 9/3
Kreislauf 23/3
Kreuzung 14/1
Krieg 23/3
Küche 5/1
Kuchen 5/1
Kugelschreiber 12/1
Kuh 11/1
Kultur 13/1
sich kümmern 18/1
Kunde 18/1
kündigen 22/3
Kündigung 22/1
Kunst 18/3
Kunstfaser 23/3
Kunststoff 23/3
Kunstwerk 18/3
Kur 17/1
kurieren 16/1
Kurort 18/3
Kurs 12/2, 21/1
Kursbuch 4/1
kursiv gedruckt 13/2
kurz 2/1
kürzen 14/3
Kusine 5/3
Küste 21/1

L

Laboratorium 23/3
lächeln 10/1
lachen 10/1
laden 19/3; ein- 7/1, 21/1
Ladenpreis 26/1
Lage 13/1; in der – sein 26/3
lahm 16/1
Laib 24/1
Lampe 2/1

Land 0, 11/1
landen 21/1
Landkarte 0
Landschaft 11/1
Landtag 20/3
Landung 21/1
Landwirtschaft 23/3
landwirtschaftlich 23/3
lang 2/1
langsam 1/1
längst 23/1
Lärm 26/2
lassen 17/1
Last 14/1
zu Lasten 19/3
Lastwagen 14/1
Lauf 17/1
laufen 10/1, 17/1; nach- 9/1; weiter- 9/1
Läufer 17/1
laut 10/2
Lautsprecher 9/3
leben 5/3
Leben 11/1
lebendig 16/1
Lebenslauf 24/3
Lebensstandard 23/3
Leder 23/3
ledig 16/3
leer 9/1
legen 8/1; ab- 8/1; bei- 24/3; vor- 20/3
lehnen; ab- 5/1, 20/3; an- 25/2
Lehrer 1/1
Lehrerin 1/1
Lehrgang 26/3
Lehrling 16/3
Lehrzeit 17/3
leicht 9/1
leichtgläubig 16/1
leichtsinnig 22/1
Leid tun 20/2
leiden 10/2, 23/1
leider 5/1
leihen 26/1

leise 22/1
Leistung 17/1
leiten; ab- 22/2; ein- 20/2
lernen 1/1
lesen 2/2
leugnen 19/1
Leute 4/1
Licht 9/1
Lichtbild 24/3
lieb 15/1
Liebe 23/2
lieben 5/3
Liebhaber 18/3
lieblich 18/3
Lied 13/1
liefern; ein- 19/1
liegen 0; vor- 19/1
Lift 18/3
Linie 13/2
liniert 13/2
links 2/1
Liste 21/2
Literatur 26/3
Loch 24/1
Löffel 6/3
sich lohnen 12/3
lokal 6/2, 24/1
Los 26/1
lösen; auf- 22/3, 25/1
Lösung 13/2
Löwe 22/3
Luft 1/1
Luftpost 11/3
lügen 10/2
Lunge 25/3
Lust 21/2
lustig 16/1
lutschen 25/3

M

machen 2/1, 15/1; ab- 23/1; auf- 5/1; aus- 10/3; frei- 25/3; mit- 12/1; zu- 5/1

Mädchen 10/1
Magen 19/1
mahlen 24/1
Mahlzeit 6/3
-mal 7/3
Maler 17/3
malerisch 15/1
man 6/1
manch- 22/1
manchmal 4/3
Mann 5/1, 9/1
Mannschaft 17/1
Mantel 8/1
Mappe 22/2
Mark 3/1
Marke 19/1
Markt 23/3
Marmelade 6/3
Maschine 21/1
maskulin 1/2
Maß 26/2
Masse 25/3
Maurer 17/3
Medikament 23/3
Medizin 16/1
Meer 18/1
Meeresarm 14/1
mehrere 18/1
mehrmalig 20/2
mehrmals 17/3
mein 1/1
mein Gott! 9/1
meinen 12/1
Meinung 20/1
meistens 6/1
Meister 17/3
melden; an- 16/3
Meldung 24/2
Menge 23/1
Mensch 11/1
Menü 6/1
sich merken 3/2
merkwürdig 13/1
messen 24/1, 25/3
Messer 6/3
Meter 17/1
Metzger 23/2

Miete 8/3
mieten 8/3
Mikroskop 23/3
Milch 6/3
milchig 25/1
mild 19/3
minderjährig 24/2
mindestens 24/3
Minister 20/1
Ministerium 19/1
Minute 3/3
Missverständnis 11/1
mit-*)
Mittag 4/3
Mittagessen 6/3
Mitte 11/3
Mitteilung 19/1
Mittel- 0
Mittelalter 13/1
möbliert 13/2
Modalverb 7/2
Mode 20/1
modern 12/3
Modesalon 7/3
mögen 5/1
möglich 14/3, 15/1
Möglichkeit 18/3
möglichst 9/3
Monat 4/3
moralisch 17/2
Morgen 4/3
müde 6/1
Mühe 15/1
mühelos 18/3
Müller 24/1
Mund 9/3
mündlich 24/2
Mündung 13/1
Museum 13/1
Musik 18/3
Musiker 18/3
Muskel 9/3
müssen 7/1
Mut 26/3
Mutter 5/3
Muttersprache 21/3

N

nach 4/1
Nachbar- 14/1
nachdem 23/1
nachher 23/2
Nachmittag 4/3
Nachricht 14/1
Nachsilbe 2/3
nächst 15/1
Nacht 4/3
Nachtisch 6/1
Nachttisch 8/3
nah 15/1
Nähe 14/1
Name 1/1
Nase 9/3
nass 9/1
natürlich 12/1
nebeneinander 9/3
Nebensatz 14/2
Nebenstraße 11/1
Neffe 5/3
negativ 1/2
nehmen 4/1, 8/1; ab- 7/3;
    an- 14/1, 19/1; auf-
    21/1, 24/3; ent- 26/1;
    entgegen- 14/1; teil-
    18/2; zurück- 9/3
nein 0
nennen 19/2
Nerv 18/1
nervös 20/1
nett 11/1
Netz 18/3
neu 8/1
neugierig 16/1
Neujahr 4/3
neulich 10/1
neutral 1/2
nicht 0
Nichte 5/3
nicken 11/1
nie 6/1, 12/3
nieder-*)
niemand 9/1
Niete 26/1

noch 2/1
nochmal 10/1
Nomen 2/2
Nominativ 2/2
Nord- 0
norddeutsch 6/1
Not 22/2
Note 17/3
nötig 7/3
notwendig 25/2
Nummer 4/1
nun 9/3
nur 2/2
nützen; aus- 22/1

O

ob 18/2
oben 2/1
Ober 6/1
Oberkörper 9/3
Oberst 21/1
Objekt 8/2, 19/2
Obst 6/3
obwohl 23/1
oder 3/2
Ofen 8/3
öffentlich 19/3
Offizier 21/1
öffnen 5/1
oft 1/1
Ohr 9/3
Öl 12/1
Omnibus 13/3
Onkel 5/3
Opposition 20/1
optisch 23/3
Orchester 23/2
Ordnung 16/1, 21/3
Organ 25/3
organisieren 18/1
Original 24/3
Ort 18/1, 19/2
Ost- 0
Ostern 4/3
Österreich 11/1

P

Paar 12/1
(ein) paar 25/3
packen 11/1, 19/1; ein- 21/1
Paket 12/1
Panzerschrank 22/1
Papier 3/1, 21/1
Paradies 18/3
Park 6/1
parken 13/2
Parlament 20/3
Partei 20/1
Partizip 10/2
Pass 16/3
passen 18/1; auf- 22/1
passieren 14/3
passiv 24/2
Passiv 19/2
Patient 16/1
Pause 24/2
Pelz 12/3
Pension 15/1, 18/3
Perfekt 10/2
Person 2/2
Personalien 19/3
Personalpronomen 1/2
Personenwagen 13/2
Personenzug 4/1
Persönlichkeit 19/3
Pfennig 3/1
Pferd 11/1
Pfingsten 4/3
Pflicht 17/2
Pfund 24/1
Philosoph 26/3
Pilz 11/1
Pistole 19/1
Plädoyer 19/3
Plan 20/1
Platz 4/1, 8/3, 13/1, 17/1
plötzlich 9/1
Plural 1/2
Plusquamperfekt 14/2
Politik 20/1
politisch 20/1

Polizei 9/1
Polizist 19/1
Porzellan 23/3
Position 8/3
positiv 13/2
Positiv 17/2
Possessivpronomen 5/2
Post 6/1; -amt 11/3; -anweisung 11/3; -gebühr 11/3; -scheckkonto 11/3
Prädikat 19/2
Präposition 4/2
präpositional 14/2
Präsens 1/2
Präsident 20/1
Präteritum 9/2
Preis 12/3
preiswert 12/3
Presse 14/1
pressen 25/3
privat 18/3
pro 15/3
Problem 24/3
produzieren 23/3
Professor 11/2
Prosa 26/1
Prospekt 15/1
Protokoll 19/3
Provinz 24/1
Prozess 19/3
prüfen 25/1; nach- 21/3
Prüfung 6/1
Puls 25/3
pünktlich 4/1
putzen 10/3
Putzfrau 8/3

Q

Quadratmeter 15/3
Qualität 12/3
Quittung 8/3
Quiz 13/1

R

Rad 6/1
Radfahrer 21/2
Radio 8/3; -apparat 8/3
Rand 14/1, 21/1
rasch 23/1
Rasierapparat 10/3
rasieren 10/2
rasselnd 26/1
Rat 7/1
Rate 19/3
raten 15/1
rauchen 5/2
Raum 23/1
räumen; auf- 8/3
Reagenzglas 25/1
Realschule 17/3
Rechenmaschine 23/3
rechnen 3/1
Rechnung 3/1
recht 7/1, 24/1, 24/3
rechts 2/1
Rechtsanwalt 17/3
rechtzeitig 21/1
Rede 24/2
Redewendung 26/2
Reflexivpronomen 10/2
Regal 8/3
Regatta 14/1
Regel 1/1
regelmäßig 2/3
regeln 25/2
regen; sich auf- 16/1
Regen 11/1; -schirm 11/1
regnen 11/1
regieren 22/1
Regierung 20/1
reich 13/2
reichen 12/1
Reim 24/1
Reise 4/1; -büro 18/1; -gesellschaft 18/1; -ziel 18/3
reisen 18/1
reißen; hoch – 20/1
reizend 26/2

Relativpronomen 16/2
rennen; -heim- 26/1
Reporter 17/1
Rest 19/3; -schuld 19/3
retten 23/3
Rezept 25/3
richten 23/2; – an 26/3; sich – gegen 20/3; – nach 24/2
Richter 17/1, 17/3
richtig 1/1
Richtung 21/1
Riemen 19/1
riesig 23/3
Rindfleisch 6/1
Ring 22/2
Rohstoffe 23/3
Rollfeld 21/1
romantisch 18/3
rot 12/3
Rötung 25/3
Rücken 9/3
Rückkehr 12/1
rufen 9/1; an- 7/3; auf- 19/3; herein- 19/3
Ruhe 15/1
ruhen; aus- 18/1
ruhig 8/3
Rumpf 9/3
rund 22/2
Runde 17/1
Rundflug 21/1
Rundfunk 9/3
Rundgang 21/1

S

Saal 19/3
Sache 2/2
Sack 26/2
sagen 1/1
Salat 6/1
Salz 12/1
Sammlung 18/3
Sand 18/3
Satz 2/1; -glied 19/2
Sauce 6/3

saugen 25/3
Säure 25/1
schade! 5/1
schaden 5/1
Schaden 14/3
Schaf 11/1
schalten; um- 17/1
Schalter 11/3
Schaltjahr 4/3
schauen; an- 25/1; her-
ein- 25/3; nach- 21/1
Schauspieler 17/3
Schein 3/1
scheinen 20/1
Scheck 22/3; -buch 22/3
schenken 7/1
scheppern 26/1
schicken 11/3
schieben 21/2; ein- 22/2
schief 21/1
Schiene 14/1
schießen 19/1
Schiff 18/2
Schild 11/1
schildern 19/3
Schinken 6/3
Schlaf 8/1; -anzug 10/3
schlafen 8/1; ein- 10/3
schlaflos 22/1
Schlafzimmer 8/1
schlagen 25/3; auf-
18/3; nach- 21/3
schlecht 9/1
schließen 2/1; ab- 19/3,
21/1; an- 17/1, 18/3;
auf- 8/1, 26/3; ein-
22/1; zu- 8/1
Schließfach 22/1
schließlich 5/1
schlimm 26/1
Schloss 8/1, 13/1
schlucken 25/3;
hinunter- 25/3
Schluss 12/1
Schlüssel 8/1
Schmerz 22/2
Schmuck 22/1

Schmutz 22/2
schnallen 19/1
schneiden 26/2
Schneider 17/3
schnell 1/1
Schnellzug 4/1
schnurren 26/1
Schokolade 7/1
schon 5/1
schön 7/3, 8/1
Schrank 8/2
schreiben 2/1
Schreiben 15/1
Schreibtisch 8/3
schreien 20/2
Schrift 11/3
schriftlich 25/3
Schriftsprache 22/2
Schritt 9/1
Schublade 12/1
Schuh 10/3
Schuhmacher 23/2
Schuld 19/3
Schule 1/1
Schüler 1/1
Schülerin 1/1
Schulter 9/3
Schulzimmer 2/1
Schuster 26/1
schütten 14/3
schütteln 26/1
Schutzmann 13/3
schwach 9/2
Schwamm 2/1
schwarz 12/3
schweigen 20/1
Schweiß 25/3
schwer 9/1
Schwester 5/3
schwierig 21/3
Schwierigkeit 21/3
schwimmen 26/2
schwitzen 25/3
See 11/1, 12/1
Seeflughafen 21/1
seelenruhig 23/1
segeln 14/1

Segler 14/1
sehen 8/1; sich an-
11/1; nach- 14/3
Sehenswürdigkeit 18/1
sehr 2/1
Seide 12/3
Seife 10/3
Seil 18/3
sein (Pron.) 14/1
sein 1/2; zusammen-
18/1
seinerzeit 19/1
Seite 4/1, 9/3
Seitenstraße 9/1
Sekunde 3/3
selbst 17/2
Selbstbedienung 12/1
selbstsüchtig 22/1
selbstverständlich 18/1
selig 26/1
selten 6/1
seltsam 16/1
Semester 12/1
senden; ab- 23/2
Sender 17/1
senken 9/3
senkrecht 9/3
Serviette 6/3
Sessel 8/1
Sessellift 18/3
setzen 8/1; auf- 21/1;
ein- 15/2; fort- 16/1,
19/1; herab- 12/3;
hin- 21/2
sicher 8/3, 10/1
Sieg 17/1
siegen 14/1
Sieger 17/1
siegreich 17/1
Silbe 2/3
singen 26/2
Singular 1/2
Sinn 21/3
Sitte 26/2
Situation 22/1
Sitz 22/1
sitzen 5/1

Sitzung 14/1, 19/3
Ski 18/3
Ski fahren 18/3
so 6/1
soeben 22/3
sofort 8/3
sogar 17/3
Sohn 5/1
solch- 23/1
Soll und Haben 22/3
Sommer 4/3
sondern 0; ab- 25/3
sonnig 14/2
sonst 11/3, 17/1
Sorge 22/2
sorgen 18/1
sorglos 18/3
sorgfältig 24/1
sowohl ... als auch 17/1
Spalte 24/1
spannend 17/1
Sparbuch 22/3
sparen 22/3
Sparkonto 22/3
Spaß 12/1
spät 7/1
spazieren gehen 6/1
Spaziergang 6/1
Speer 17/1
Speisekarte 6/1
sich spiegeln 13/1
Spiel 14/1
spielen 16/2; ab- 26/1
Spielleiter 22/3
Spielwaren 23/3
Spitze 17/1, 20/3
Sport 12/3
Sportler 14/2
Sportplatz 17/1
Sprache 1/1
sprachlos 21/1
sprechen 7/3; frei- 24/1
Sprecher 21/2
Sprechstunde 25/3
Sprichwort 24/1
springen 10/3; auf- 17/1
Sprung 17/1

46

spülen 25/3
Staat 20/3
Staatsanwalt 19/1
Stadion 17/1
Stadt 0
Stahl 23/3
Stammvokal 10/2
stark 4/2, 12/3
startbereit 21/1
starten 21/1
statt 12/1
statt-*)
staunen 21/1
Steckdose 10/3
stecken 8/1; an- 25/3
Stecker 10/3
stehen 8/1; auf- 7/2;
   fest- 24/2; still- 26/1
stehen bleiben 9/1
Stehlampe 8/3
stehlen 10/2
steigen 21/1; ab- 16/1;
   aus- 4/1; ein- 4/1; um-
   13/3
Steigerung 25/3
steil 18/3
steinhart 22/2
Stelle 18/3
stellen 8/1; ab- 21/1;
   aus- 16/3, 22/1; aus-
   einander- 9/3; fest-
   18/1; her- 23/3; her-
   aus- 19/1; vor- 10/1,
   18/1; zusammen- 24/3
sterben 20/2
Steuer 21/1
Stichwort 21/3
still-*)
Stimme 7/3, 14/1
stimmen 24/1; zu- 19/3
Stockwerk 8/1
stören 10/1
stoßen; zusammen- 9/1
Strafantrag 19/3
Strafe 19/1
Strafprozess 19/3
Strand 18/3

Straße 4/1
Straßenbahn 13/2
strecken 9/3; aus- 9/3
streichen 26/2
Streichholz 14/3
Streit 24/1
strengen; sich an- 17/1
in Strömen 26/2
Struktur 26/3
Stück 3/2, 21/1
Student 6/1
Studienfach 24/3
Studienkolleg 24/3
studieren 5/1
Studium 17/3
Stuhl 2/1
stumm 24/2
Stunde 2/1, 3/3
Subjekt 11/2
Substantiv 2/2
suchen 7/3; auf- 26/1
Süd- 0
süddeutsch 6/1
Superlativ 17/2
Suppe 6/1
süß 6/3
Süßspeise 6/3
Symptom 25/1
Synonym 21/3

T

Tablette 25/3
Tadel 21/1
tadellos 21/1
Tafel 2/1
Tag 3/3
Tageszeit 4/3
täglich 8/3
tagsüber 10/3
Tank 11/1
Tante 5/3
Tanz 7/1
tanzen 7/1
Tasche 4/1, 5/2
Taschendieb 9/1

Taschentuch 13/2
Tasse 5/1
Tat 19/1
Täter 19/1
Tatsache 24/2
tatsächlich 26/1
Taxi 4/1
technisch 26/2
Tee 6/3
Teil 15/1
Telefon 7/3; -buch 7/3;
   -gespräch 7/3
telefonieren 7/3
Telegramm 5/1
Teller 6/3
Temperatur 25/3
temporal 6/2
Temporalsatz 23/2
Teppich 8/1
Termin 18/1
Terrasse 8/1
Testament 16/1
teuer 3/1
Text 21/3
Textilmaschine 23/3
Theater 6/1
Thema 24/1
Thermometer 25/3
tief 9/3
Tier 11/1
Tiger 11/1
Tisch 2/1
Tischler 17/1
Titel 15/3
Tochter 5/1
Tod 16/1
Toilette 8/1
Tomate 12/1
tot 5/3
töten 17/2
tragen 13/2, 20/3; ein-
   22/3
traurig 20/2
treffen 9/1, 21/1
treiben 23/2
trennbar 4/1
trennen 17/1

Treppe 8/1
treten; ein- 8/1; zusam-
   men- 20/1
trinken 6/1
trocknen; ab- 10/3
Tropfen 25/1
trotz 12/1
trotzdem 23/3
trüb 17/1
Tube 10/3
tun 18/1
Tür 2/1
Turm 13/1
Typ 21/1

U

üben 1/1; aus- 23/2
über 4/1
überall 19/1
überfahren 22/2
überführen 19/3
übergeben 19/3
überhaupt 24/3
überholen 17/1
überlegen 22/1, 25/1
übermorgen 16/3
übernachten 18/2
Übernachtung 18/3
überqueren 14/1
überrascht 21/3
Überraschung 10/1
überrunden 17/1
überschlagen 14/1
Überschrift 11/3
übersetzen 21/3
Übersetzung 21/3
überstehen 25/3
übertragen 17/1, 26/1
Übertragung 17/1
überweisen 22/3
Überweisung 22/3
überzeugen 14/3, 19/3
üblich 16/1
übrig 13/2, 26/2
Übung 1/2

Ufer 13/1
Uhr 3/3
Uhrmacher 17/3
Uhrzeit 7/2
um 3/3
um ... zu 23/2
Umgang 26/2
Umgangssprache 21/2
Umlaut 2/3
umringen 20/1
Umschlag 16/1
umschreiben 22/2
unangenhm 11/1
unbedingt 24/2
unbekannt 11/2
unbeständig 18/1
unbestimmt 1/2
unbetont 4/1
und 0
u. s. w. = und so wei-
ter 4/2
undeutlich 11/3
undurchsichtig 25/1
Unfall 13/3
ungefähr 4/3
unglaublich 16/1
Unglück 21/1
Universität 6/1
unmittelbar 26/3
unpersönlich 11/2
unregelmäßig 1/2
Unschuld 19/3
unschuldig 24/1
unten 2/1
unterbrechen 5/1
Untergang 23/3
sich unterhalten 10/1
Unterhaltung 21/3
Unterricht 2/1
unterscheiden 22/2, 23/3
Unterschied 20/3
unterschreiben 16/3
Unterschrift 11/3
untersuchen 19/1
Untersuchung 19/3
unterwegs 10/1
untrennbar 4/1

unvollständig 26/2
unzweckmäßig 19/1
Urlaub 12/1
Urteil 19/1

V

Vase 8/2
Vater 5/1
sich verabreden 10/1
sich verabschieden 10/1
Veränderung 18/2
Veranstaltung 22/3
Verantwortung 20/3
verarbeiten 23/3
Verb 1/2
verbessern 2/1
verbieten 17/2
verbinden 6/2
verbindlich 15/3
Verbindung 18/2, 18/3
Verbrecher 19/1
verbringen 15/1
Verbzusatz 4/2
verdächtig 13/2
verdienen 16/1, 23/2
Verdienst 23/2
verehren 15/3
vereinbaren 19/3
Verfasser 21/3
Verfassung 20/3
verfügen 22/3
vergangen 20/1
Vergangenheit 18/2
vergehen 5/1
vergessen 15/2
Vergleich 15/2, 19/3
vergleichen 4/1
Vergnügen 7/1
vergrößern 26/3
verhaften 18/2
sich verhalten 22/1
Verhandlung 19/1
verheiratet 15/3
verhüten 21/1
Verkauf 19/3

verkaufen 23/2
Verkäufer 18/2
Verkehr 14/1
verklagen 19/3
verkünden 19/3
verlangen 19/3
verlängern 18/1
Verlängerung 18/1
verlassen 4/1
verlegen 24/1
Verlegenheit 24/1
verletzt 14/1
verlieren 17/2
verlosen 26/1
vermieten 8/3
vermitteln 18/3
Vermutung 18/2
vernehmen 19/1
Vernehmung 19/3
verneinen 13/2
Verneinung 20/2
Verordnung 25/3
Verpflegung 15/1
verreisen 19/2
verschieben 24/1
verschieden 15/3
verschließen 21/2
verschlingen 26/2
verschreiben 25/3
verschweigen 19/3
verschwinden 14/1
versichern 20/1
Versicherung 22/1
sich verspäten 10/1
versprechen 19/3
verständlich 22/2
verstecken 22/3
verstehen 2/1
versuchen 19/1
verteidigen 26/2
Verteidiger 19/3
Vertrag 19/3
Vertrauen 22/1
vertreten 20/3
Vertretung 20/3
verurteilen 19/1
Verwaltung 20/3

verwandt 15/3
Verwandte 16/2
verwenden 18/2
verwitwet 16/3
Verzeichnis 21/3
Verzeihung 21/1
verzichten 19/1
Vetter 5/3
Vieh 11/1
viel 1/1, 15/1
vielleicht 7/1
viele 2/1
vielmehr 21/3
viermotorig 21/2
Viertel 7/1
Vogel 20/2
Vokal 2/3
Volk 20/3
Volksvertretung 20/3
Volkswirtschaft 23/3
voll 9/1, 14/1
vollendet 26/3
völlig 19/1
vollständig 20/1
von 0
von ... bis 3/3
vor-*)
vor allem 15/1
Voraussetzung 24/3
vorbei-*)
Vorbereitung 21/1
Vorgang 19/2
vorgestern 16/3
Vorhang 8/2
vorher 23/2
vorig 18/1
Vorlesung 6/1
Vormittag 4/3
vorn 2/1
Vorname 16/3
Vorraum 20/3
Vorschrift 24/1
vorschriftsmäßig 24/1
vorsichtig 11/1
Vorsilbe 2/3
Vorsitzender 19/3
Vorstellung 7/1

Vorteil 22/3
Vortrag 26/2
vorzeitig 23/1
vorzüglich 15/3

W

Waage 24/1
waagerecht 9/3
Waagschale 24/1
Wachtmeister 13/3
Wagen 8/1
Wahl 20/1
wahlberechtigt 20/3
wählen 7/3
Wählscheibe 7/3
wahr 24/1
Wahrheit 19/3
während 12/1, 23/1
wahrscheinlich 18/2
Wahrzeichen 13/1
Wald 9/1
Wand 2/1
Wanderung 23/2
wann? 4/1
warm 6/3
warnen 21/1
warten 9/3
Wärter 14/3
warum? 10/1
was? 2/1
Waschbecken 8/3
Wäsche 8/3
waschen 8/3
Waschzeug 21/1
Wasser 10/3
Wasserflugzeug 21/1
wechseln 24/1
wecken 10/3
weder ... noch 24/2
Weg 6/1
weg-*)
wegen 12/1
weichen; aus- 14/1
Weihnachten 4/3

weil 14/1
Weile 26/2
Wein 6/3
Weinberg 15/1
weinen 26/1
weinrot 12/3
Weise 22/1
weiß 24/2
weit 6/1, 9/3
weiter 18/1
weiter-*)
weiterhin 19/3
welch- 12/1
Welt 16/1
weltbekannt 13/1
weltberühmt 18/3
Weltreise 22/2
wem? 5/2
wen? 2/2
wenden an 25/1; auf- 26/3
wenig 1/1
ein wenig 10/1
wenigstens 16/1
wenn 15/2
wer? 2/2
werden 12/1
werfen 17/1; ein- 7/3; um- 20/2
Werkstatt 23/3
Werkzeug 23/3
Wert 22/1
weshalb? 14/2
wessen? 9/2
West- 0
Weste 9/1
Wettbewerb 18/3
Wetter 11/1
Wettkampf 14/1
wichtig 13/2
wie? 2/1
wie geht es? 5/1
wie 12/3
wieder 7/3
wieder-*)
wiederholen 2/1
Wiederholung 11/2

auf Wiederhören 9/3
auf Wiedersehen 2/1
wiegen 24/1; ab- 24/1
wie lange? 4/1
Wiese 11/1
wie viel? 3/2
wie viele? 3/1
willkommen 18/3
Winter 4/3
Winterschlussverkauf 12/3
wirklich 10;
Wirklichkeit 22/2
Wirt 11/1
Wirtschaft 13/1
wissen 9/1
Wissenschaft 16/3
Wissenschaftler 25/1
wissenschaftlich 13/1
wo? 0
Woche 4/3
Wochenschau 10/1
Wochentag 8/2
wohin? 4/1
woher kommt es, daß ...? 17/3
wohl 18/2
Wohlstand 23/3
wohnen 4/1
Wohnung 6/1
Wohnungstür 8/1
Wohnzimmer 8/1
Wolke 11/1
Wolle 12/3
wollen 7/1
Wort 2/1
Wörterbuch 2/1
wörtlich 24/2
Wortschatz 21/3
Wortstellung 4/2
Wunder 16/1
sich wundern 23/1
wundervoll 18/3
Wunsch 18/3
wünschen 7/1
Wurst 6/3
wütend 23/1

Z

Zahl 3/1
zahlen 3/1; ein- 11/3
zählen 3/1; auf- 24/3; weiter- 3/1
zahllos 22/1
zahlreich 15/1
Zahlung 19/3
Zahn 10/3; -arzt 7/3; -bürste 10/3; -paste 10/3
Zehe 9/3
Zeichen 14/1
zeichnen 11/1
Zeichnung 11/1
zeigen 2/1; an- 19/3
Zeile 26/3
Zeit 3/3, 19/2
Zeitadverb 6/2
zeitlich 23/2
Zeitung 4/1
Zelle 7/3
Zelt 18/3
Zentimeter 26/2
Zentner 26/2
Zentralheizung 8/3
zentralistisch 20/3
Zentrum 13/1
zerstören 23/3
zerstreut 21/1
Zettel 11/3
Zeuge 19/1
Zeugnis 16/1, 18/3
ziehen 11/1; an- 10/3, 18/3; aus- 8/1; ein- 8/3; zurück- 19/3
Ziel 17/1
ziemlich 13/3
Ziffer 26/1
Zigarette 5/1
Zigarre 7/1
Zimmer 2/1
Zimmerwirtin 6/1
Zinsen 22/3
Zirkus 22/3
zitieren 26/2

Phonetik leicht gemacht

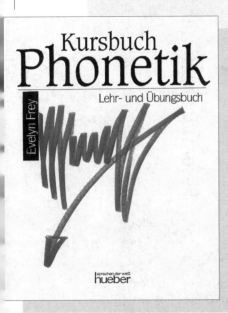

Lehr- und Übungsbuch
von Evelyn Frey
80 Seiten, gh.
ISBN 3–19–011572–9

Package:
Lehr- und Übungsbuch +
2 Cassetten (Laufzeit 63 min)
Übungen mit Nachsprechpausen
ISBN 3–19–001572–4

Package:
Lehr- und Übungsbuch +
2 CDs
ISBN 3–19–041572–2

Ein kurstragendes Lehr- und Übungsbuch zur deutschen Phonetik,
das aber auch zur phonetischen Schulung im DaF-Unterricht,
im Sprachlabor oder zum Selbststudium eingesetzt werden kann.

Im Anhang geben „Hinweise zur Benutzung" Hilfen zum Umgang
mit dem angebotenen Übungsmaterial.

Ein „Lösungsschlüssel" ermöglicht es auch Selbstlernern,
kontrolliert mit dem Material zu arbeiten.

Hueber – Sprachen der Welt

Essential Grammar of German

with exercises by Monika Reimann
Translated by Wolfgang Winkler
240 pages
ISBN 3–19–021575–8

**A complete reference and practice grammar for elementary
to intermediate students up to the level of the**
Zertifikat Deutsch.

- Compatible with all standard coursebooks
- Revision – Consolidation – Exam preparation
- Classroom and self-study use
- Vocabulary controlled within limits required for the
  Zertifikat Deutsch.

Hueber – Sprachen der Welt